W9-AUG-144

Подводный спецназ

Никита Филатов

ЗОЛОТО КАДДАФИ

Астрель
Полиграфиздат
Москва
Санкт-Петербург
«Астрель-СПб»

УДК 821.161.1
ББК 84 (2Рос=Рус)6
Ф51

Все совпадения с реальными лицами являются случайными

Серия *«Подводный спецназ»*

Филатов, Н.

Ф51   Золото Каддафи / Н. Филатов. — М.: Астрель: Полиграфиздат; СПб.: Астрель-СПб, 2012. — 281, [2] с. – (Подводный спецназ).

ISBN 978-5-271-39837-7 (ООО «Издательство Астрель»)
ISBN 978-5-4215-2894-4 (ООО «Полиграфиздат»)
ISBN 978-5-9725-2189-0 (ООО «Астрель-СПб»)

Когда все государства мира оказываются не в силах совладать
с морскими пиратами, орудующими у сомалийского побережья,
заботу о безопасности торговых судов и экипажей принимают на
себя парни из частной охраны. В основном это ветераны российских спецподразделений, достаточно повидавшие за годы службы. И когда волею обстоятельств вместо обычного рейса по со-
провождению сухогруза им приходится принимать участие в
страшной и непонятной игре, развернувшейся вокруг золотого
запаса ливийского лидера Муаммара Каддафи, ценой проигры-
ша вполне может стать их собственная жизнь. Поэтому бывшему
подполковнику морской пехоты Иванову и его товарищам приходится применить всю свою профессиональную подготовку и
боевой опыт, чтобы вернуться домой без потерь...

Подписано в печать 09.11.11.
Формат 84х108/ 32. Усл. печ. л. 10,53.
Тираж 3 000 экз. Заказ № СК 3480.

Общероссийский классификатор продукции
ОК-005-93, том 1; 953000 — книги, брошюры

Золото по-прежнему служит главным платежным средством в мире... В чрезвычайных обстоятельствах бумажные деньги не нужны никому, тогда как золото принимают к оплате всегда. Золото и экономическая свобода неразделимы...

Алан Гринспен,
бывший глава Федеральной резервной
системы США

ПРОЛОГ

> Странствовать по морю необходимо; жить не так уж необходимо.
>
> *Помпей Великий*

Плакса вынул огурец и застрелился...

Ничего тревожного или даже опасного в этом не было, поэтому Иванов просто перевернулся на другой бок и поправил подушку.

В последнее время ему часто снились какие-то глупые странности — что-то вроде однообразного и надоедливого мультипликационного сериала, в котором карикатурные персонажи без конца плоско шутят, противно смеются и непристойно ведут себя с окружающими.

А вот море во сне он не видел уже довольно давно, и это казалось немного обидным, потому что Михаил Анатольевич очень любил, когда снится море.

Он вообще любил море...

Просыпаться было по-прежнему лень.

Тем не менее Михаил Анатольевич вытянул руку из-под одеяла и поднес к глазам запястье. Разобрать в темноте, который час, так и не удалось.

Черт бы подрал эти дорогие хронометры! То ли дело — простые, штампованные, электронные Casio с пластиковым ремешком, которые молодой лейтенант Михаил Иванов приобрел когда-то давным-давно в магазине «Альбатрос» за чеки, полученные после первой кубинской командировки. Часы верой и правдой служили ему много лет — и еще столько бы прослужили, но...

Теперь такую дешевку носить вроде как неприлично.

Не поймут.

Да и сам будешь чувствовать себя, скажем... не на уровне.

Потому что ощущение собственного достатка приходит постепенно.

Сначала, оказавшись по каким-то делам за границей, ты перестаешь метаться по незнакомому городу в поисках «Макдональдса», чтобы справить нужду,— и как-то так просто, без сожаления, вытаскиваешь из кармана мелкую валютную монету, чтобы оставить ее в ближайшем платном туалете. Потом, в душевой спортивного клуба, ты вдруг перестаешь использовать пусть и не слишком хороший, зато совершенно бесплатный шампунь, включенный в стоимость годового абонемента. И приносишь с собой из дома собственный — тот, к которому ты привык и который тебе нравится. Еще через некоторое время отказываешься покупать обувь дешевле двухсот евро за пару, а билеты на поезд заказываешь исключительно в вагон «повышенной комфортности»...

С того момента, как подполковник Иванов, по определенным и личным причинам, покинул ряды российских боевых пловцов, прошло, в общем, не так уж много времени. Зато и пожить на скудную офицерскую пенсию ему почти не довелось — к некоторому удивлению Михаила Анатольевича, репутация, знания, опыт и профессиональная подготовка такого специалиста, как он, оказались востребованы почти сразу.

Очень серьезные люди сделали бывшему подполковнику очень серьезное предложение.

Он это предложение принял.

А за качественную работу в его новом бизнесе людям платили приличные деньги. Очень приличные. Даже по западным меркам. И даже по меркам законной супруги, ее мамаши и многочисленных родственников со стороны жены...

Недавно Михаилу Анатольевичу исполнилось пятьдесят, однако выглядел он намного моложе — про таких в милицейских ориентировках обычно указывают: «мужчина, на вид сорок-сорок пять лет, выше среднего роста, телосложение спортивное...»

И далее: «...тип лица славянский, волосы темнорусые, стрижка короткая».

Особых примет нет. Вредных привычек — тоже.

Впрочем, никогда и ни в каком розыске органов внутренних дел гражданин Иванов не числился, поэтому предстоящее прохождение паспортного контроля не вызывало у него ни малейшего беспокойства.

...Кажется, Михаилу Анатольевичу все-таки удалось еще немного подремать, потому что второй раз, теперь уже окончательно, он проснулся, когда поезд тихо стоял у какого-то железнодорожного полустанка. За окном, через узкую полосу между столиком и опущенной шторкой, можно было разглядеть только мокрый асфальт с растекающимся по нему пятном света.

Спустя пару минут в противоположном конце вагона хлопнула дверь и послышались голоса — сначала мужской, потом женский, принадлежавший, наверное, проводнице. Прежде чем двинуться по вагону, мужчина спросил что-то, проводница ответила — и рассмеялась...

В отличие от купейных или плацкартных вагонов, пассажиров в вагоне «СВ» почти не было — состоятельные господа предпочитали добираться из Петербурга до Вильнюса на самолете или на собственных автомобилях, а для российских туристов попроще такая поездка считалась бы непозволительной роскошью. Поэтому очень скоро и голоса, и шаги стали слышаться совсем рядом.

Наконец, из коридора довольно настойчиво постучали:

— Пограничный контроль!

Михаил Анатольевич приподнялся, повернул механическую защелку — и дверь, будто сама собой, сразу отъехала в сторону:

— Доброй ночи, пожалуйста, документы.

Слегка поморщившись от светового потока, ворвавшегося из коридора в купе, Иванов протянул пограничнику паспорт:

— Вот, прошу.

— Цель поездки?

— Деловая.

Лейтенант-пограничник зачем-то внимательно осмотрел постель Иванова, после чего перевел взгляд на пустую соседнюю полку, заправленную покрывалом:

— От самого Питера один едете?

— Один.

— Повезло.

— Да, наверное,— пожал плечами Иванов...

Профессионально поставленное наружное наблюдение вычислить невозможно. Его можно только почувствовать. Поэтому по прибытии в столицу независимой Литвы Михаил Анатольевич не стал играть в шпионов и прямо с вокзала отправился по знакомому адресу.

— Здравствуйте!

— Здравствуйте...— ответило переговорное устройство.

Офис международного кадрового агентства «Transoceanic Crewing and Supply» располагался на первом этаже, буквально в нескольких минутах ходьбы от заброшенного стадиона «Жальгирис», который когда-то был символом одноименного спортивного клуба.

— Я пришел по объявлению в газете.

Некоторое время посетителя изучали через глазок видеокамеры. Потом раздался негромкий щелчок отпираемого замка, и Михаил Анатольевич перехватил поудобнее сумку с вещами...

Помещение, в котором он оказался, больше всего напоминало туристическую контору средней руки. Два стола, стулья, шкаф для одежды, компьютеры, электрический вентилятор... Стеллажи, все пространство которых заполнено толстыми папками-скоросшивателями с надписями на корешках: «Юго-Восточная Азия», «Африка», «Атлантические перевозки», «Пассажирские линии», «Аден», «Европа», «Залив»... Географическая карта мира, календарь судоходной компании и плакаты с рекламой каких-то заморских отелей.

— Привет. Присаживайся,— предложил Иванову мужчина, отдаленно напоминавший артиста Олега Янковского в самых последних ролях. По-русски он говорил с едва заметным, очаровательным прибалтийским акцентом, который в прошедшие времена заставлял трепетать сердца неискушенных советских студенток:

— Кофе хочешь?

— Давайте.

Хозяин офиса вышел из-за стола и включил кофеварку:

— Как добрался?

— Нормально.

— Ну, тогда хорошо.— Собеседник посчитал формальности законченными и вернулся на свое место. Из кармана пиджака, висевшего на спинке стула, он вытянул связку ключей. Открыл сейф, наподобие тех, что бывают в дешевых гостиничных номерах, и положил перед Михаилом Анатольевичем пухлый почтовый конверт: — Получите, распишитесь...

— Что на этот раз?

— Обычное дело. Короткий рейс в Шанхай из Порт-Судана. Обратно самолетом.

Конверт не был заклеен. Извлекая из него содержимое, Иванов поинтересовался:

— Опять танкер?

— Нет, сухогруз. «Профессор Пименов».

— Надо же...— удивился Михаил Анатольевич. Раньше ему приходилось сопровождать, в основном, нефтеналивные суда, излюбленную мишень сомалийских пиратов.— Что везем?

— В основном, хлопок. Шерсть, кожа...— Хозяин опять встал из-за стола, чтобы налить гостю кофе.— Сахар? Сливки?

— Не надо. Спасибо.— Михаил Анатольевич аккуратно взял в руки массивную кружку с логотипом агентства.— Какой флаг?

— Флаг либерийский, команда смешанная,— ответил хозяин офиса и, опережая дальнейшие вопросы, добавил: — Дедвейт около тридцати тысяч тонн, построен, по-моему, в середине восьмидесятых... Экипаж — двадцать два человека, включая тебя и твоих людей.

— А кто со мной?

— Посмотри, все написано.

Иванов поставил кружку с кофе на край стола, после чего пододвинул к себе документы. Удовлетворенно кивнул, обнаружив в судовой роли фамилии старых знакомых, и уточнил:

— Оружие?

— На месте получите.

— Только чтоб не вышло, как в прошлый раз,— попросил Иванов.

— А что такое? — приподнял брови его собеседник.— В чем дело?

— «Калаши» у вашего человека оказались китайские, дерьмо полное. Один ржавый, второй перекошенный, в магазинах пружины пришлось заменять.

— Примем к сведению,— пообещал представитель агентства.

— Ну, и еще тогда...— решил воспользоваться случаем Иванов.— Закажите нам ящик гранат.

— Для чего?

— Рыбу глушить,— улыбнулся Михаил Анатольевич.

— Ладно, попробуем.

Пока собеседник делал какие-то пометки в своем блокноте, Иванов приступил к обстоятельному изучению содержимого конверта. Проверил билеты — прямого рейса в Хартум, разумеется, не было, и лететь до суданской столицы ему предстояло с двумя пересадками. Пересчитал аванс в евро и в долларах — да, должно быть достаточно, даже с учетом обратной дороги и прочих возможных расходов. Фотография, имя и прочие персональные данные Михаила Анатольевича в паспорте моряка соответствовали действительности. Только вот сам документ...

— Почему паспорт литовский?

— Чтобы не было лишних проблем. Сам ведь знаешь, что после «Московского университета»...

— Понятно,— кивнул Иванов и потянулся за кружкой.

Средства массовой информации в свое время много рассказывали и писали о том, как большой противолодочный корабль российского ВМФ «Маршал Шапошников» освободил от сомалийских пиратов судно «Московский университет», перевозившее почти девяносто тысяч тонн нефти.

Штурм танкера проводился специально обученной группой морских пехотинцев, и после короткой перестрелки пираты были нейтрализованы, причем в ходе боевой операции не пострадал никто из членов экипажа. Один пират был убит, остальные задержаны. В качестве трофеев российской стороне досталось несколько единиц стрелкового оружия, крупнокалиберный пулемет, гранатометы и приспособления для проникновения на судно.

Следственным комитетом в России немедленно было возбуждено уголовное дело по признакам преступления, предусмотренного частью 3 статьи 227 Уголовного кодекса — «пиратство, совершенное с применением насилия и оружия организованной группой», а на борту освобожденного танкера тут же начали суетиться военные следователи. По сообщениям официальных лиц, «были приняты меры к доставлению задержанных пиратов в Москву для проведения с ними следственных действий и привлечения их к уголовной ответственности в рамках действующего уголовно-процессуального законодательства Российской Федерации и норм международного права».

А потом началось непонятное.

Неожиданно средствам массовой информации объявили, что морское международное законодательство вроде бы не позволяет привлечь сомалийских пиратов к ответственности.

«К сожалению, в настоящее время юридических правил судебного преследования пиратов, действующих в районе Сомали, не существует, и таким образом они не попадают под юрисдикцию какого-либо государства и международного права»,— было заявлено журналистам. Поэтому всех задержанных якобы просто сгрузили в их же пиратскую лодку и... отпустили. А через час идущая полным ходом лодка пропала с экранов радаров.

— Мы, конечно, будем разбираться с пиратами по всей строгости военно-морских законов. Но в конечном счёте нам нужно выйти на новую правовую основу для того, чтобы всё человечество дало на эту угрозу, причём абсолютно реальную, вполне качественный ответ. Может быть, нужно вернуться к идее создания международного суда и других юридических инструментов,— глубокомысленно заметил перед телекамерами российский президент на встрече со своим министром обороны.

И добавил зачем-то:

— До тех пор пока этого не будет, нам придётся поступать так, как поступали наши предки, когда встречали пиратов,— сами понимаете как. Нужно делать именно таким образом...

Поначалу последняя фраза главы родного государства вызвала у моряков, журналистов, юристов и просто людей, которые еще не разучились думать, отчаянное недоумение, переходящее в ступор. Тем более что уже через несколько дней представители сомалийских пиратских формирований заявили о преднамеренной расправе над своими соратниками. По сообщению информационного агентства «Сомалилендпресс», задержанные пираты были подвергнуты пыткам и казнены уже после того, как сдались российским военным морякам.

«Русские никогда не выпускали молодых людей, вместо этого они расстреляли их в упор, а затем погрузили их безжизненные тела обратно в лодку,— клеветнически заявляли на весь мир враждебные голоса.

Наши люди никогда не вредили заложникам... Мы осуждаем действия русских. Они руководствовались расизмом, руководствовались ненавистью к чернокожим. Это лицо новой России. В будущем, если мы захватим русских, они встретят ту же участь, что и они осуществляют...»

Пришлось срочно и спешно оправдываться.

— Расстрел пиратов — это чушь! — заявил многочисленным корреспондентам капитан освобожденного танкера. И, разумеется, подтвердил, что сам видел, как после короткого допроса всех живых пиратов посадили на лодку, которая оставалась пришвартованной к борту «Московского университета». У сомалийцев, по его словам, отобрали оружие, абордажное снаряжение и навигационное оборудование, зато щедро снабдили запасами пресной воды и радиомаяком.

— Они вовсе и не хотели добираться до берега Сомали,— уверял капитан,— им надо было лишь проплыть несколько миль до судна-матки, с которого пираты вышли на «охоту» за танкером. Однако через час сигнал радиопередатчика исчез...

— Если сомалийские пираты, захватившие «Московский университет», в итоге погибли в море, то отнюдь не по вине российских моряков или спецназовцев, освобождавших судно,— вслед за ним, с полным знанием дела успокоил общественность вице-премьер с простой русской фамилией.— Их главари уверяют, что без средств навигации люди в открытом океане погибнут. Но это не так. Пираты показали нам на горизонте судно и сказали, что это их «судно-матка». Ну и все. Гуд бай, то есть «до свидания»... Что касается пиратов, их при нынешнем положении дел все равно пришлось бы отпускать — только потратив предварительно немалые деньги на то, чтобы их кормить, поить и судить.

В общем, после таких заявлений, казалось бы, ничего другого и не оставалось, кроме как в очередной раз похлопать российским руководителям и умилиться их похвальной заботой об экономии бюджетных средств. Хотя, конечно, не все и не сразу поверили в то, что военные моряки даже не заинтересовались мифическим «пиратским судном-маткой», которое все это время якобы крутилось неподалеку,— и не направили на него, как положено, досмотровую группу. Да и по поводу оставления посреди океана людей, среди которых были раненые, нуждавшиеся в медицинской помощи...

Некоторые злопыхатели все произошедшее называли даже внесудебной расправой.

Как бы то ни было, отношение к русским заложникам-морякам, находившимся у сомалийских пиратов, с тех пор изменилось не в лучшую сторону...

— Послушай,— спохватился вдруг хозяин офиса.— По поводу этого танкера «Московский университет»... Ты ведь и сам, кажется, участвовал в его освобождении?

— Было такое,— кивнул Иванов без особой охоты.

— Ну, и что же там все-таки произошло? В самом деле? Расскажи! Сомалийцев и вправду никто не расстреливал?

— Нет. Их никто не расстреливал.

— Говорят, что ваши ребята пиратов действительно в лодку посадили. А потом к ним кормой повернулись — и двигатель дали на полный ход, чтобы лодку струей от винтов опрокинуло.

— Без комментариев...— И Михаил Анатольевич Иванов, подполковник запаса, бывший русский морской пехотинец, посмотрел прямо в глаза собеседнику так, что тот сразу же догадался: больше никаких вопросов задавать не следует.

ЧАСТЬ ПЕРВАЯ

Человека убить нетрудно. Приро-
да легко уничтожает свои творенья.
Она так плодовита, что не обремене-
на материнским инстинктом — сбе-
речь дитя...

Виктор Тихомиров

ГЛАВА 1

Город Хартум, как известно,— столица Судана. Располагается он в месте слияния Белого Нила и Голубого, откуда река течёт дальше на север, к Египту и Средиземному морю.

Вот, пожалуй, и все, что Михаил Анатольевич знал про этот город, покидая немноголюдную зону прибытия хартумского международного аэропорта. А еще он вполне обоснованно предполагал, что в Судане весной очень жарко.

И не ошибся. Судя по первому впечатлению, температура на улице была значительно выше той, которую стюардесса пообещала при посадке.

Градусов сорок, а то и все сорок пять...

Солнце нависло прямо над головой в плотном мареве, пропитавшемся запахами расплавленного асфальта и перегретых автомобильных моторов. Ветра не было вообще, и казалось, что окружающий воздух шевелится исключительно благодаря существованию выхлопных газов.

В общем, Михаил Анатольевич еле дождался, пока суетливый и разговорчивый таксист пихнет его сумку в багажник ярко-желтой потрепанной малолитражки, откроет дверь и запустит пассажира на заднее сиденье.

Однако выяснилось, что и в салоне такси о прохладе, пусть даже весьма относительной, мечтать не приходится. Кондиционер в машине отсутствовал напрочь, стеклоподъемники не работали, поэтому Иванов моментально почувствовал себя примерно так, как, вероятно, должна себя чувствовать курица, заживо запекаемая в духовке.

Поначалу водитель, используя несколько дежурных фраз на ломаном английском, имевшихся в его распоряжении, пытался завязать с ним беседу. Но заметив, что пассажир абсолютно не расположен к общению, успокоился, замолчал и включил автомобильный приемник. Из помятых динамиков бесконечным потоком задребезжала монотонная, заунывная арабская музыка, от которой Михаилу Анатольевичу стало совсем нехорошо.

Чтобы немного отвлечься, он попытался смотреть за окно, однако занятие это оказалось почти бесполезным — район, по которому они ехали из аэропорта, не поражал гостей ни красотами, ни особой экзотикой. Если, конечно, не относить к таковой полицейских на перекрестках и многочисленные армейские патрули, расположившиеся со своей бронетехникой вдоль дороги.

Терпеть дальше не оставалось ни сил, ни желания. Поэтому Иванов собрал в кучу словарный запас и по-английски попросил таксиста убавить звук. Тот, как видно, не понял, переспросил что-то, однако Михаил Анатольевич, вместо того чтобы вступать с ним в переговоры, просто перегнулся через спинку переднего сиденья, протянул руку и выключил музыку.

Даже если бы он в этот момент смотрел не на приемник, а вверх — все равно с пассажирского места нельзя было разглядеть серебристую птицу, медленно проплывавшую в совершенно безоблачном небе...

По стечению некоторых, так и не выясненных до конца обстоятельств беспилотный разведывательно-ударный летательный аппарат типа MQ-9 Reaper не был обнаружен и средствами суданских ПВО. Строго в заданное перед вылетом время он пересек государственную границу и появился в воздушном пространстве над городом, чтобы дождаться команды от оператора.

С высоты в несколько тысяч метров, на которой парил беспилотник, многолюдный Хартум выглядел, без сомнения, чище и привлекательнее, чем вблизи,— хотя оптика и электронная аппаратура самого последнего поколения, установленные на этом летательном аппарате, вполне позволяли читать даже вывески над сувенирными лавками и мастерскими.

В архитектуре второго по величине мусульманского города Северной Африки преобладал традиционно арабский, восточный характер. Центральная его часть, расположенная вдоль живописной долины Голубого Нила, имела множество удобных ориентиров, каждый из которых вполне мог служить потенциальной мишенью: Дворец республики, в котором постоянно находится президент, комплекс торгово-финансовых учреждений, различные министерства и ведомства, большой мост, ведущий к университетскому городку...

Получив очередную команду от спутника связи, Reaper сразу же повернул на восток, в направлении Умм-Дурмана, самой оживленной части суданской столицы, все еще сохранившей следы кровопролитных уличных боев между повстанцами и правительством, которые шли здесь три года назад. Затем он опять изменил направление полета, взяв курс на Северный Хартум, или, как его здесь называли, эль-Хартум Бахри.

Потенциальных мишеней на этом берегу Нила тоже хватало: еще один стратегический мост, несколько крупных заводов и фабрик, железнодорожные мастерские и склады готовой на экспорт продукции.

Под широкими крыльями беспилотника как раз медленно проплывали развалины фармацевтического предприятия аль-Шифа, уничтоженного американскими крылатыми ракетами в августе девяносто восьмого, когда Reaper поймал закодированный сигнал передатчика, установленного под капотом одной из бесчисленных автомашин, удалявшихся в данный момент от международного аэропорта.

Доклад об этом немедленно поступил к оператору. Reaper снизился до семи с половиной тысяч метров и увеличил скорость — теперь она составляла примерно четыреста километров в час. Система наведения передала на пункт управления данные с телекамеры, и через мгновение в сторону цели стартовала ракета, получившая от создателей говорящее имя Hellfire [1].

Некоторое время изображение на экране далекого монитора не менялось. Потом вдруг на месте маши-

---

[1] Адский огонь (*англ.*).

ны возник грязно-белый, клубящийся шарик разрыва, и все было кончено.

Цель поражена.

Очередное задание выполнено.

Беспилотный разведывательно-ударный летательный аппарат без опознавательных знаков и номера на борту получил соответствующую команду, чтобы начать разворот с набором высоты.

Путь к наземному пункту базирования, где его с нетерпением ожидали пилот и оператор электронных систем, предстоял не короткий и, видимо, не спокойный...

* * *

Нельзя сказать, что капитан Али Мохаммед Хусейн, сотрудник подразделения внутренней безопасности[1] хартумского международного аэропорта, скучал по своему предыдущему месту службы. Несколько месяцев, проведенных им в Южном Судане, никак нельзя было назвать спокойными и безопасными.

Родился он в год подписания Аддис-Абебского соглашения, которое привело к прекращению первой гражданской войны между Севером и Югом — и к предоставлению южанам определённой автономии в вопросах внутреннего управления.

Затишье продолжалось примерно десять лет, после чего вооружённый конфликт возобновила Народная армия освобождения Судана. Поводом для этого послужила политика исламизации, в рамках которой тогдашний президент Джафар Нимейри

---

[1] *Al Amn al-Dakhili* — суданская спецслужба.

предпринял несколько неуклюжих административных шагов, а в уголовное законодательство страны были введены некоторые виды наказаний, предусмотренных нормами шариата,— к примеру, забивание камнями, публичная порка и отсечение рук.

Капитан Хусейн прочитал в какой-то египетской газете, что по данным международных общественных организаций за два десятилетия, прошедшие с момента возобновления боевых действий против сепаратистов, правительственные войска уничтожили около двух миллионов мирных жителей. Кроме того, если верить газете, в результате периодических засух, голода, нехватки топлива и постоянного нарушения прав человека воюющими сторонами еще более четырех миллионов южан были вынуждены покинуть свои дома и бежать из страны в Эфиопию, Кению, Уганду, Египет...

Возможно, так оно и было. Большие цифры никогда не интересовали капитана — если, конечно, речь не шла о его собственном вознаграждении в суданских фунтах.

Во всяком случае, переговоры между повстанцами и правительством, периодически прерываемые ожесточенными вооруженными столкновениями, в конце концов привели к результатам: стороны договорились, что Южный Судан будет пользоваться автономией до две тысячи одиннадцатого года, когда вопрос о независимости этой территории будет вынесен на референдум. Была решена и еще одна, едва ли не самая важная проблема — доходы от добычи нефти в течение этого переходного периода делятся поровну. В июле две тысячи пятого года лидер повстанцев, бывший полковник суданской армии Джон Гаранг вступил в должность вице-президента Судана, а места в парламенте и правительстве распределились между представителями Севера и Юга.

Капитан перевелся в Хартум в конце прошлой зимы, незадолго до референдума, в котором приняло участие почти все населения Южного Судана. Между прочим, с учетом почти поголовной неграмотности, для участников референдума в бюллетенях предусмотрительно напечатали картинки: открытая ладонь символизировала отделение, а крепкое рукопожатие — единство страны. И хотя для того, чтобы регион обрел суверенитет, достаточно было простого большинства, за независимость проголосовало более девяноста восьми процентов местных жителей. И теперь Южный Судан, как суверенное государство, приняли в Организацию Объединенных Наций.

А ничего иного и не следовало ожидать.

Еще в офицерской школе Хусейну внушили, что Судан в этническом и религиозно-культурном отношении образует переходную зону от арабо-исламского мира к негроидным народам Африки. И недаром здесь уже седьмой десяток лет почти непрерывно ведется военное противостояние между этими двумя цивилизациями. Первая представлена арабами-суннитами, составляющими примерно половину суданского населения и занимающими северные районы страны. Вторая — это языческие и христианские племена юга, пользующиеся неофициальной помощью со стороны США, Ватикана и Великобритании...

Как бы то ни было, результаты прошедшего референдума окончательно закрепили раскол страны, породив при этом целый ряд проблем для обеих сторон. Не разрешенным, к примеру, остался вопрос о границах между новыми государственными образованиями — их демаркация так и не была закончена, из-за чего пять южных областей с богатейшими нефтяными месторождениями в настоящее время считаются спорными. И тут есть о чем спорить, потому что валютные поступления от добычи нефти составляют почти сто процентов дохода Южного Судана и примерно две трети национального бюджета хартумского правительства. Получилось, что в распоряжении Юга теперь имеются запасы нефти, но у него нет выхода к морю. А у Севера почти нет нефтяных месторождений, зато есть трубопроводы и порт на Красном море. Так что, рано или поздно, придется опять воевать. Или договариваться — так же, как и по поводу водных ресурсов, по-настоящему жизненно важных для этого региона, по вопросам о выплате внешнего долга, о валютной политике, безопасности, международных договорах...

Капитан Али Мохаммед Хусейн не был религиозным фанатиком и всегда причислял себя к просвещенным арабским националистам. Политика нынешнего президента страны импонировала ему куда больше, чем громогласные лозунги фундаменталистов из партии Национальный исламский фронт. Тем более что предлагаемый фундаменталистами путь насильственной исламизация и арабизации немусульманского населения не вызывал ничего, кроме роста сепаратизма и возникновения новых очагов напряженности.

Но, с другой стороны, ситуация требовала от офицеров-патриотов принятия самых жестоких и безотлагательных мер для того, чтобы удержать страну от окончательного распада...

Капитан спохватился и бросил испуганный взгляд на портрет президента, висевший напротив окна,— будто полковник Омар Хассан аль-Башир, который и сам много лет назад пришел к власти в результате военного переворота, был способен каким-то загадочным образом прочитать его мысли.

— Аллаху Акбар! — Капитан непроизвольно тряхнул головой, отгоняя опасное наваждение. Потом достал из холодильника минеральную воду, наполнил половину стакана и чуть-чуть повернул вправо ручку кондиционера, регулируя поток воздуха.

Там, на юге, в горящих деревнях и наполовину разрушенных городах, подобные блага цивилизации можно было увидеть, пожалуй, только во сне. Но и на новом месте, в новой должности — на которую ему удалось устроиться благодаря не столько служебному рвению, сколько родственным связям в министерстве юстиции,— своих проблем тоже хватало.

Взять хотя бы отношения с израильтянами.

Их разведка «Моссад» никогда не жалела ни средств, ни усилий для того, чтобы завоевать оперативные позиции в суданской политической элите. Не секрет, что поначалу ей помогали в этом представители могущественного суфийского ордена аль-Ансар, боровшегося за власть со своими соперниками из ордена аль-Хатмийа, делавшего ставку на поддержку Каира. Члены ордена аль-Ансар, образовавшие после обретения Суданом независимости партию «аль-Умма», находились даже некоторое время во главе правительства. После прихода к власти генерала аль-Башира и Национального исламского фронта официальные отношения суданских властей с Израилем, разумеется, прекратились, однако секретные связи между «Моссад» и Хартумом продолжаются до сих пор.

При этом с начала девяностых в Судане неуклонно возрастала и активность иранских спецслужб. Достаточно отметить, что на территории страны до сих пор постоянно находятся несколько тысяч солдат и офицеров Корпуса стражей Исламской революции, а также около двухсот сотрудников Министерства разведки и безопасности Ирана, опекающих тренировочные лагеря и военные базы «Хезболлы»[1].

С тех же пор здесь обосновались и активисты палестинской организации ХАМАС[2], имеющей в Хартуме свое официальное представительство. Несколько специальных операций, проведенных совместно иранскими и суданскими спецслужбами в Сомали, Танзании, Кении, Чаде, а также в Уганде, Бурунди и Заире, не так давно довольно основательно тряхнули африканский континент. Особые успехи ими были достигнуты в Кении и Уганде, где была организована серия массовых вооруженных выступлений и к власти пришли исламские фундаменталисты. Примерно тогда же, кстати, к сотрудничеству с суданской разведкой был привлечен и Осама Бен-Ладен...

Само собой, американцы тоже не дремали.

Между прочим, еще в девяносто шестом Судан предлагал им свои услуги по аресту Осамы Бен-Ладена. В Вашингтон даже прибыл тогдашний суданский министр обороны, однако администрация Клинтона не смогла или не захотела использовать предоставлен-

---

[1] «Хезболла» (*араб*. — партия Аллаха) — шиитская военизированная организация и политическая партия.

[2] *ХАМАС* («Исламское движение сопротивления») — правящее в секторе Газа с 2007 года палестинское исламистское движение и политическая партия. Рядом стран признаётся террористической организацией.

ный шанс — и в результате будущий «террорист номер один» спокойно перебрался в Афганистан. Кроме того, суданская разведка много раз предоставляла Белому дому исчерпывающую информацию о террористической активности в регионе и даже обеспечила доступ сотрудников ЦРУ и ФБР ко всем имеющимся в ее распоряжении оперативным материалам.

Взаимности это, впрочем, не вызвало — в ноябре девяносто седьмого американцы все-таки наложили на режим аль-Башира экономические санкции, а затем и вообще приступили к бомбардировкам суданской территории. Поводом к этому послужили полученные американской разведкой секретные материалы о многолетнем сотрудничестве Хартума с Багдадом в рамках совместной программы по разработке и производству оружия массового поражения. Выяснилось, что иракские боеголовки, ракеты и несколько килограммов высокообогащенного урана были тайно переправлены в Судан через Иорданию и упрятаны подальше от всяческих международных инспекций. К тому же, оказывается, при активном участии некоторых европейских компаний суданскими и иракскими специалистами велось строительство новой фабрики по изготовлению боевых отравляющих веществ — в дополнение к уже действующему комплексу по производству иприта.

Более того, достоянием гласности стали совсем уже неприличные вещи... Независимые немецкие журналисты установили, что, хотя ежегодно десяткам тысяч суданцев угрожает голодная смерть, режим в Хартуме экспортирует сотни тысяч тонн продовольствия, покупая на вырученные деньги в Ираке оружие и военную технику. Например, только за один год Судан получил триста тридцать пять тысяч тонн международной продовольственной помощи — и он же экспортировал в страны Европейского Союза почти сто тысяч тонн проса, основной пищевой культуры Судана, по льготным ценам в качестве корма для скота...

Тем не менее, окончательно ссориться не хотели ни американцы, ни европейцы, ни суданский президент, по приказу которого в марте две тысячи второго года был арестован и помещен под стражу Абу Анас Аль-Либи — один из руководителей «Аль-Каиды», входивший в список самых опасных террористов мира. Да и печально знаменитый Карлос Ильич Рамирес по прозвищу Шакал был задержан в Судане французами при активном содействии местных спецслужб.

А вот российская разведка давно уже не относилась здесь к числу активных игроков. Капитан много раз слышал от старших коллег поучительную историю о том, как еще в начале семидесятых годов израильтяне, заручившись поддержкой МГБ КНР, провели безупречную оперативную комбинацию по устранению конкурентов. Тогда левые офицеры попытались свергнуть президента Джафара аль-Нумейри, однако через три дня переворот был подавлен. А затем суданский лидер получил от китайцев исчерпывающие доказательства — сфабрикованные, впрочем, «Моссад», — о причастности к его подготовке советских «товарищей». Комитет государственной безопасности СССР так никогда и не смог после этого восстановить оперативные позиции в Хартуме, зато благодарный президент дал согласие на вывоз через территорию Судана в Израиль пятнадцати тысяч эфиопских евреев.

...Капитан Али Мохаммед Хусейн выпил маленькими глотками стакан минеральной воды и приступил к исполнению своих служебных обязанностей.

Перед ним на столе еще с обеда лежала пухлая папка с материалами по иностранцам, прибывшим в аэропорт за последние несколько суток. Списки авиапассажиров, ксерокопии паспортов, бланки иммиграционной службы... Если верить вчерашней ориентировке, в Хартуме со дня на день ожидалось появление группы наемников-профессионалов, завербованных то ли Суданской освободительной армией, то ли Движением за равенство и справедливость, которые вот уже несколько лет вели вооруженную борьбу с правительством и арабскими ополченцами в провинции Дарфур. Международный аэропорт значился в ориентировке всего лишь как один из возможных путей проникновения наемников на территорию страны, однако Хусейн отнесся к полученной информации очень ответственно и даже сделал необходимые пометки напротив нескольких подозрительных лиц.

К подозрительным лицам, с его точки зрения, следовало отнести всех мужчин-иностранцев — белых или чернокожих — в возрасте от восемнадцати до сорока пяти лет. Женщин капитан в расчет не принимал. Семейные пары, подростков и пожилых людей можно было также исключить.

Заодно, перелистывая документы, среди пассажиров авиарейса из Франции капитан обнаружил двоих палестинцев, сведения о которых уже имелись в базе данных отдела внутренней безопасности — они закупали по всему миру комплектующие для реактивных снарядов, которыми боевики постоянно обстреливали израильскую территорию.

31

С точки зрения государственных интересов Судана, эти двое особой опасности не представляли. Так же, собственно, как и американец с типичной и скучной фамилией Смит — установленный заместитель руководителя местной резидентуры ЦРУ, возвращающийся под крышу родного посольства из очередного отпуска. Или как этот вот китайский «инженер», личные вещи которого и багаж не досматривались на таможне по личному приказу министра обороны...

Взгляд Хусейна задержался на ксерокопии судовой роли, представленной к паспортному контролю каким-то моряком из Литвы. Любопытно... Капитан пролистнул назад несколько файлов, нашел то, что хотел,— и нажал кнопку на коммутаторе внутренней связи:

— Запросите наш отдел в Порт-Судане. Пусть проверят, находится ли у них судно...— продиктовал он по буквам: — «Профессор Пименов»... Нет, не знаю. Уточните и доложите мне, как только будет получен ответ.

Капитан Хусейн приготовился отдать еще несколько распоряжений, но не успел — в кабинете настойчиво и тревожно зазвонил телефон:

— Слушаю.

Сообщение дежурного офицера было коротким. Только что в нескольких километрах от международного аэропорта неизвестными уничтожен гражданский автомобиль. Предположительно — управляемый бомбой или крылатой ракетой. По меньшей мере два человека убиты. Требовалось немедленно выехать на место происшествия в сопровождении вооруженной охраны.

* * *

К счастью для Иванова, от аэропорта до гостиницы, в которой был забронирован номер, оказалось недалеко. И минут через пятнадцать таксист уже припарковался у входа в отель с несколько необычным названием «5М».

Выходя из раскаленной машины, Михаил Анатольевич с наслаждением вытер со лба струйки пота. Однако, прежде чем нырнуть за стеклянную дверь, которая обещала хотя бы относительное избавление от жары, он огляделся по сторонам. Ничего интересного: пустынная, пыльная улочка с чахлыми местными деревцами, реклама телефонов «Нокия», старый плакат с непонятными лозунгами по-арабски...

Гостиница оказалась вполне современной, довольно уютной и, на удивление, чистой.

Необходимые формальности не заняли много времени.

Лифт вознес Иванова на четвертый этаж. Едва закрыв за собой дверь номера, Михаил Анатольевич по-военному быстро разделся и принял душ — просто душ, без шампуня и мыла, для того только, чтобы смыть неприятное липкое ощущение. Сушить волосы и вытираться не стал — вместо этого обмотал себя ниже пояса полотенцем, после чего приступил к изучению нового временного пристанища.

Первое впечатление было очень даже приятным: широкая кровать, аккуратно заправленная белоснежным постельным бельем, кондиционер, телевизор, работающий холодильник... Имелся даже электрический чайник с посудой и, если верить буклету, оставленному на письменном столике,— беспроводной быстрый доступ к сети Интернет.

И все это удовольствие — меньше чем за сотню американских долларов в сутки.

Вот и рассказывай теперь кому-нибудь: отсталая, нищая Африка, страны третьего мира, окраина цивилизации... Михаил Анатольевич подошел к окну и отодвинул штору — балкон отсутствовал, но при постоянной хартумской жаре необходимости в нем особой, наверное, не было.

Михаил Анатольевич распаковал сумку и разложил по местам свои вещи. Переоделся, застегнул браслет часов, потрогал тыльной стороной ладони подбородок. Нет, пока еще можно было не бриться...

На первом этаже, у стойки регистрации, ему сразу же предложили горячего красного чая.

Улыбчивый портье, говоривший по-английски едва ли не лучше, чем сам Иванов, посетовал, что как раз сегодня закончились бесплатные путеводители по Хартуму и туристическая схема с обозначением ближайших к отелю достопримечательностей. Зато предложил помочь с прокатом автомобиля и даже устроить экскурсию в сопровождении профессионального гида.

Михаил Анатольевич сказал, что подумает. И, в свою очередь, поинтересовался, в каком номере проживают его соотечественники, прилетевшие вчера вечером. Портье сверился с монитором компьютера и написал на гостиничном бланке несколько цифр, которые среди европейцев принято называть арабскими.

— Шукран,— поблагодарил его Иванов, израсходовав почти весь свой словарный запас, обретенный во время недавней семейной поездки в Египет.

— Афуан... пожалуйста,— в очередной раз улыбнулся портье.

Прежде чем нажать на кнопку лифта, Михаил Анатольевич обернулся и вдруг поймал на себе неожиданно острый, внимательный взгляд вооруженного пистолетом охранника, расположившегося возле выхода из отеля.

...Несмотря на запрещающие таблички, развешенные по всему отелю, в номере было накурено до неприличия.

— О, привет, командор!

— Привет,— кивнул Михаил Анатольевич.

Обниматься мужчины не стали, но рукопожатие получилось по-настоящему крепким.

— Проходи, командор, гостем будешь...

Когда-то давно старший лейтенант Коля Проскурин имел удовольствие отдавать мирным жителям Афганистана интернациональный долг в качестве замполита мотострелковой роты. Долг он отдал по полной программе, получив за это два ордена «Красной звезды», высокое звание майора запаса и офицерскую пенсию, на которую прокормить семью было никак невозможно. Коммерсант из него не получился, к вымогательству и бандитизму душа не лежала. Поэтому Коля после метаний и поисков устроился в частное охранное предприятие, где и просидел — сутки через трое — много лет, оберегая от нежелательных посетителей и торговых агентов очередной магазин или офис за копеечную зарплату. На сопровождение судов по мировому океану он попал, можно сказать, совершенно случайно примерно полгода назад, но уже успел осознать себя морским волком.

— Отдыхаете?

— Расслабляемся,— подтвердил Николай.— Исключительно в рамках приличий.

Из одежды на нем не было ничего, кроме клоунских полосатых трусов до колен.

Когда бывший воин-интернационалист посторонился, чтобы пропустить Иванова, в ноздри гостю отчаянно шибанул крепкий выхлоп какого-то алкоголя.

— С приездом, командор,— поднялся с кресла навстречу Михаилу Анатольевичу второй обитатель номера.

— Здорово,— ответил на рукопожатие Иванов.

— Пиво будешь?

— Не знаю пока.

Сосед и напарник Проскурина выглядел несколько более цивилизованно — кроме фирменных шортов с карманами на нем были пляжные шлепанцы и футболка воинственных камуфляжных цветов. В судовой роли он был записан как Алексей Карцев, однако знакомые в большинстве случаев называли его не по имени и не по фамилии, а по отчеству — просто Петровичем. К своим пятидесяти годам Петрович тоже насмотрелся в жизни всякого. Был он трижды женат, дважды ранен во время так называемых «межнациональных конфликтов», поучаствовал в первой чеченской кампании. На «гражданке» Петрович сначала стремительно разбогател, продавая какую-то контрабандную черепицу, потом так же стремительно разорился, потом снова встал на ноги, купил дом, дачу, катер, еще один дом за границей... Тем не менее даже сейчас он с охотой и радостью время от времени ввязывался во всяческие авантюры.

— Пиво холодное...— сообщил Николай, закрывая дверь.

Михаил Анатольевич огляделся по сторонам. Номер, в котором обосновались Петрович и Коля, был двухместный — намного просторнее, чем его собственный, но попроще. Скомканные простыни на кроватях были кое-как, для порядка, прикрыты гостиничными покрывалами. В центре письменного стола, превращенного в стол обеденный, красовалась уже почти ополовиненная упаковка баночного пива. Вокруг нее дожидались своей неминуемой участи несколько сморщенных фиников и какое-то мясо — просоленное, прокопченное и порезанное на продолговатые ломтики.

— Это что у вас?

— Верблюжатина,— пояснил Николай.— Прикупили на местном базаре.

— А это что такое? — Иванов показал на начатую бутылку с какой-то прозрачной жидкостью.

— Водка. Финиковая. Называется «аракия».

— Плеснуть на донышко, командор? — Петрович затушил сигарету и протолкнул окурок в пустую банку из-под пива, служившую теперь пепельницей.— Для дезинфекции организма?

— Нет, ребята, я лучше пивка...— Иванов аккуратно подвинул раскрытую сумку, оказавшуюся на пути, под ногами, и уселся на стул, прямо перед телевизором.

Передавали футбольный матч — кажется, между сборными Камеруна и Южной Африки. Счет в игре был пока нулевой, и арабская скороговорка комментатора воспринималась как необязательное, но и не слишком навязчивое звуковое сопровождение застольной беседы.

— Как долетел? — поинтересовался Петрович.

— Все в порядке.— Михаил Анатольевич открыл банку и сделал глоток: — Хорошо... то, что надо!

— Пиво, между прочим, древние египтяне изобрели. То ли пять, то ли шесть тысяч лет назад,— блеснул эрудицией Николай.— Специально для этого климата.

— Что с пароходом?

— Сейчас...— после непродолжительных поисков Петрович обнаружил на столе среди мусора и закусок бумажную ленту, свернувшуюся в рулон. Отряхнув от мясных крошек, он передал ее Иванову: — Прислали факс. Задерживаются из-за погоды.

— Прихватило?

— У них там шторм, в Индийском океане,— кивнул Николай.— Ползут по два узла в час.

— Моряк, блин! Узел — это и так миля в час. Надо говорить...

— Сам знаю,— отмахнулся Николай от напарника.— Нашелся, тоже...

— Сколько, значит, еще им до Порт-Судана идти? — прекратил перепалку между морскими волками Михаил Анатольевич.

— Суток пять, если не больше,— прикинул Петрович.— Повесимся тут, я уже чувствую.

— Простой должен оплачиваться как обычные суточные? — В голосе Николая зазвучали отчетливые признаки беспокойства.— Правда ведь, командор?

— Ну, обычно проблем с этим нет.

— А сейчас за гостиницу, например, чем платить?

— Ты аванс получил? — опередил Петрович ответ Иванова.

— Ну и что?

— Ничего...

Вместе с копией судовой телеграммы из агентства прислали еще последний бюллетень Международного морского бюро. По данным этой организации, число пиратских нападений в мире выросло в первом квартале текущего года более чем в два раза по сравнению с аналогичным периодом прошлого года. Большинство из них произошло у берегов Сомали — девяносто семь инцидентов, включая обстрелы судов, попытки взять их на абордаж, ограбления и захваты. Всего за три месяца сомалийскими пиратами было захвачено пятнадцать судов, и по состоянию на первое апреля они удерживали у себя двадцать восемь судов и почти шестьсот членов их экипажей — в качестве заложников.

Далее в бюллетене коротко излагались обстоятельства последних, самых громких инцидентов.

— «Diamante III»...— нашел знакомое название Иванов.— Мы ведь, кажется, на нем работали?

— Да, там сидели наши люди,— подтвердил Петрович.— В прошлом году, кажется, в октябре.

Михаил Анатольевич помнил, что тогда рейс прошел без проблем. Ребята из агентства поднялись на борт в Адене, сошли в Шри-Ланке, потом следующая смена сопроводила танкер обратно, до Эмиратов... Однако в этот раз судовладельцы, очевидно, решили сэкономить на охране.

Огромный нефтевоз «Diamante III», перевозивший топливо из Украины в Китай, в ночь на прошлую среду подвергся нападению пиратов в Аденском проливе. На борту этого либерийского танкера находилось более миллиона баррелей мазута. Инцидент произошел примерно в тридцати морских милях от южнойеменского побережья, пираты обстреляли танкер из гранатомета, в результате чего судно загорелось. Экипаж танкера, состоящий в основном из граждан Филиппин, покинул горящее судно в спасательных шлюпках, легко ранены капитан и еще несколько моряков... На помощь «Diamante III» почти сразу же прибыли американский фрегат, отпугнувший пиратов, и два буксира, которые занялись тушением атакованного судна. Разлива нефтепродуктов и загрязнения окружающей среды не произошло, о чем с удовлетворением информировал Международный морской бюллетень.

В конце бюллетеня, с не меньшим удовлетворением, его авторы сообщали, что захваченное сомалийскими пиратами в конце января немецкое судно «Beluga Nomination», на борту которого, среди членов экипажа, находятся двое граждан России, освобождено за выкуп в размере пяти миллионов долларов.

— Скупой, как говорится, платит дважды...

— Приличные деньги,— согласился, со вздохом, Проскурин.— Серьезный бизнес.

— Ты про пиратов?

— Нет, я про страховые компании.

Не секрет, что покончить со всем этим пиратским безобразием в районе африканского побережья можно было за считанные недели. Однако морские разбойники вполне органично «вписались» в политику международных страховых компаний, которые не имели ни малейшего желания упускать приносимые ими сверхприбыли. Каждый случай вооруженного нападения и захвата заложников неизменно приводил к очередному повышению страховых ставок, поэтому судовладельцам приходилось отдавать все больше и больше за то, чтобы заниматься морскими перевозками. Почему? Да потому, что всемогущий Ллойдовский совместный военный комитет, объединяющий страховщиков, после первых же инцидентов с сомалийскими пиратами объявил всю северную часть Индийского океана зоной военного риска — и принялся взимать соответствующие премии.

Самое интересное, что обязательное для судовладельцев страхование от военного риска не покрывает убытков, связанных с захватом судна пиратами, в том числе убытков от возможного расхищения и порчи груза. Для таких случаев существует другой вид страхования — так называемое страхование K&R, «похищение и выкуп». При этом отказаться от «военной» страховки практически невозможно. Судовладелец, который решится на такой шаг, тут же вылетит по закону из бизнеса.

Таким образом, система международного морского страхования, прикрываясь сомалийским пиратством, стала получать из ничего, из воздуха, доходы, которые в разы превышают доходы пиратов.

Более того, даже рынок переговоров с морскими пиратами практически полностью принадлежит крупным лондонским страховым компаниям и их юридическим конторам. Если судно имеет страховку от выкупа и похищения, его владелец, согласно условиям договора, вообще лишен права вести переговоры самостоятельно или назначать своего посредника — этим занимается исключительно страховая компания. И тоже, разумеется, не бесплатно. Вот и получается, что ежегодные выплаты, производимые крупными лондонскими страховыми компаниями в качестве выкупа и компенсации, исчисляются десятками миллионов долларов — но при этом объем их доходов от страхования пресловутых «военных» рисков составляет многие сотни миллионов.

Впрочем, вопросы эти уже обсуждались сотрудниками агентства бесчисленное множество раз, поэтому тратить на них сейчас время и силы не имело никакого смысла. Михаил Анатольевич посмотрел на часы:

— В офисе, наверное, уже нет никого?

— Да уж, конечно,— подтвердил Петрович.

— Ладно, завтра с утра разберемся.— Иванов сделал последний глоток, потряс для чего-то пустую банку и поставил ее на пол рядом со стулом.

Неожиданно его внимание привлек работающий телевизор. Футболисты уже, судя по всему, отправились на перерыв, и суданский канал запустил в эфир местные новости.

— Смотрите-ка, парни...

В искореженной и развороченной груде металла не сразу можно было распознать останки сгоревшего автомобиля. В объектив попадали, сменяя друг друга, пожарные, полицейское оцепление, медики, вооруженные люди с повязками на рукавах...

Оператор показал общим планом дорогу и здание международного аэропорта, после чего на экране возникла тревожная физиономия представительного мужчины в рубашке с короткими рукавами, в берете и при погонах. Очевидно, какого-то очень большого начальника. Выступление его сопровождалось бегущей строкой, но для самого Иванова и для тех, кто сидел сейчас вместе с ним перед телевизором, толку от этого было немного.

— Ни черта не понятно,— расстроился Николай.

— Полистайте еще что-нибудь,— предложил Михаил Анатольевич.

— Да, сейчас... тут у них Би-Би-Си где-то было,— сообразительный Петрович уже успел найти пульт и принялся переключать каналы.— Вот, точно!

Новости в наше время распространяются со скоростью Интернета.

«...*Судан обвиняет Израиль в нанесении ракетно-бомбового удара,*— *с профессиональной улыбкой вещал диктор британской телевизионной корпорации.*— *Два человека на машине ехали из хартумского аэропорта в прибрежный город Порт-Судан, когда их автомобиль был уничтожен ракетой. Первоначально полиция предположила, что ракета была выпущена со стороны моря. Позднее поступили сообщения о двух неопознанных летательных аппаратах, проникших в воздушное пространство страны. Очевидцы видели то ли самолет, то ли два боевых вертолета...*»

Видеоряд репортажа был практически тот же самый, что и на хартумском канале.

«...*Личность погибших пока не установлена. Наш корреспондент сообщает, что на месте атаки остался лишь остов легкового автомобиля и два обугленных тела...*»

Перед телезрителями на экране опять появился все тот же высокопоставленный суданский чиновник:

— Это нарушение нашего государственного суверенитета и международных договоренностей,— перевел диктор на английский язык слова официального представителя министерства обороны Судана.— В связи с этим Хартум оставляет за собой право реагировать на агрессию. Силы противовоздушной обороны своевременно открыли огонь по нарушителю и вынудили его покинуть воздушное пространство страны. Самолет прилетел со стороны Красного моря и туда же улетел...

Завершая сюжет, Би-Би-Си сообщила, что Тель-Авив пока молчит и никак не комментирует выдвинутые обвинения. Потом пошли другие новости.

— Молодцы евреи. Как что не по ним — бац ракетой, и нет проблемы! — усмехнулся Николай.

— Ну не знаю...— покачал головой Петрович.— Может, это и не израильский самолет?

— А чей же еще?

— Да чей угодно. Хотя бы американский.

— Откуда ему, интересно, здесь взяться?

— Например, из Ирака. Или из Афганистана.

— Из Афганистана, по-моему, не долететь,— прикинул Николай Проскурин.— Далеко.

— Существует еще такая вещь, как палубная авиация.

— И на Сейшельских островах, между прочим, уже два года как размещается база американских беспилотников,— напомнил Михаил Анатольевич.— Для операций против пиратов в Индийском океане.

— Интересно, ребята, за что вы так не любите американцев? — ухватился за тему Проскурин.

— А за что их любить? — Петрович подобрал остатки верблюжатины и отправил их в рот.— Помнишь, как незабвенный товарищ Хрущев говорил? У нас, говорил он, с американцами разногласие только по земельному вопросу: или они нас закопают, или мы их.

— Мы им просто завидуем, Коля.— Иванов произнес это так, что не ясно было, говорит он всерьез или просто разыгрывает собеседника.— Сильные ребята

из сильной страны, уверенные в себе и в своей право-
те. Патриоты, опять же, с национальной идеей...

— Перестраивают, можно сказать, окружающий
мир под себя. В соответствии с принципами демократии и гуманизма.

— Издеваетесь? — предположил Николай.

— В каждой шутке есть доля шутки,— ушел от
прямого ответа Петрович.

— Не хотел бы я оказаться в той машине, парни,—
сказал неожиданно Иванов.— По-любому...

Суеверный Петрович перекрестился и три раза
плюнул через плечо:

— Да типун тебе на язык, командор!

— Кстати, пиво кончается. И это не есть хорошо...

ГЛАВА 2

Рано или поздно привыкаешь ко всему. Даже к духоте.

Или просто в Хартуме по утрам не так жарко. Особенно в парке с волшебным названием Аль Могран — прямо на набережной, с которой открывается изумительная панорама слияния двух рукавов легендарной реки...

Михаил Анатольевич посмотрел на белоснежное здание какого-то шикарного отеля, напоминающее парус, туго наполненный ветром, и заказал себе еще кофе. В ожидании часа назначенной встречи он расположился в тени, под навесом из плотной материи,— и сейчас был единственным посетителем заведения, цены которого приятно удивляли.

Наверное, сюда потом можно будет прийти пообедать с ребятами. Или поужинать...

В их гостинице постояльцев кормили вполне приличным завтраком, а вот об остальном пропитании следовало заботиться самим. На одних только фруктах, на вяленом мясе с базара и крепко заваренном красном чае долго не протянешь. Тем более неизвестно еще, сколько суток придется торчать тут, в Судане, до появления теплохода...

Петрович и Коля отправились прогуляться — по музеям и достопримечательностям. Во всяком случае, так они доложили, заглянув в «командирский» номер. И хотя у Иванова возникли определенные сомнения по поводу истинных целей их предстоящей прогулки по городу, он ограничился предупреждением:

— Смотрите там, аккуратнее...

— Обижаешь, начальник!

— Между прочим, страна мусульманская. Законы шариата в полный рост.

— В каком это смысле?

— В прямом. За внебрачные связи, к примеру, камнями забить могут. Насмерть.

— Эх, командор...— вздохнул Николай почти искренне.— Зачем пугаешь? На внебрачные связи у нас все равно денег нет.

— А за пьянство в общественном месте публичная порка положена.

— Даже иностранцам? — не поверил Петрович.

— Так тебя ж не по паспорту будут пороть. А по заднице.

— Слушай, как они тут вообще существуют? — покачал головой Николай.

— Нам-то что? — напомнил Петрович приятелю.— Мы в музей пойдем.

— В Национальный,— подтвердил тот.

— Не заблудитесь,— пожелал Иванов, закрывая дверь номера.

Ладно, все-таки здесь не портовый Кейптаун, в котором найти себе неприятностей легче легкого. И не

Камбоджа, где Иванову как старшему группы пришлось прошлой осенью выкупать своих людей из полиции после большой, основательной драки с голландцами.

Самому Михаилу Анатольевичу предстояла рабочая встреча с человеком, которому агентство поручило обеспечить очередной рейс оружием. Вопрос был, понятное дело, достаточно деликатным, однако способов его разрешения существовало великое множество.

Очевидно, по мобильному телефону до Иванова вчера так и не дозвонились, поэтому приглашение с указанием места и времени встречи было передано через портье, который старательно записал все, что ему продиктовали, и передал по назначению.

— Кстати, вот уже девятый год, как Хартум является городом-побратимом Санкт-Петербурга.

Непонятно даже, как Михаил Анатольевич пропустил появление рядом со столиком нового посетителя — худощавого, не слишком рослого молодого человека, одетого в светло-бежевую рубашку с короткими рукавами и такого же цвета свободные брюки. Дорогие очки и короткая стрижка делали его похожим на профессора какого-нибудь европейского университета. При этом хороший и ровный загар давал все основания предположить, что мужчина провел под здешним солнцем намного больше времени, чем это предусмотрено обычной туристической путевкой.

— Простите?

— Вполне возможно, что этот факт вас не очень заинтересует,— улыбнулся незнакомец.— Но ведь надо же было как-то начать разговор?

Вне всякого сомнения, мужчина был соотечественником Иванова. И дело тут даже не в хорошем русском языке, на котором он говорил,— подсознательная система распознавания «свой-чужой» никогда еще не подводила Михаила Анатольевича.

— Не возражаете? — взялся незнакомец за спинку стула.

— Присаживайтесь,— пожал плечами Иванов.

Вообще-то, он предполагал, что агентство «Transoceanic Crewing and Supply», как это обычно и делалось, закажет все необходимое через какого-нибудь местного перекупщика, имеющего надежные связи в порту, на таможне и в криминальных кругах, занимающихся оборотом легкого стрелкового вооружения.

— Это я пригласил вас сюда.

— Вы, наверное, привезли документы от моего друга из Вильнюса? — произнес Михаил Анатольевич условную фразу.

Незнакомец вздохнул и сокрушенно покачал головой:

— Я догадываюсь, что сейчас вы сказали какой-то пароль. Но вот отзыва я на него, хоть убейте, не знаю.

— Не понимаю, о чем идет речь...— почти натурально изобразил удивление Иванов.

— Кстати, Михаил Анатольевич, по поводу «хоть убейте» — конечно же, шутка. Убивать меня нет ни малейшей необходимости. А тем более прямо здесь и сейчас.

Обращение по имени и отчеству явно не было случайным, поэтому Иванов демонстративно обернулся к стойке, чтобы подозвать официанта.

— Подождите, пожалуйста! Я же честно признался, что не имею к вашему агентству ни малейшего отношения.

— А к чему вы имеете отношение? — Как назло, вся прислуга куда-то запропастилась, а уходить из кафе, не расплатившись, было бы неприлично.

— Извините, я забыл представиться,— собеседник достал из кармана рубашки визитную карточку.— Вот, пожалуйста...

«Торговое представительство Российской Федерации в Судане,— прочитал Иванов на визитке.— Александр Александрович Оболенский, референт-переводчик... P. O. Box 1161, B1.A.10, Street 7, New-Extension, Khartoum, the Republic of Sudan... Телефон, номер факса, электронная почта...»

— Можно просто — Сан Саныч. Или даже, если хотите, по имени...

— Я таких бумажек много могу напечатать.

— Да и не таких бумажек еще можете напечатать — кто бы сомневался! — не стал спорить сотрудник торгового представительства.— Вон какой у вас литовский паспорт моряка. От настоящего не отличишь...

Иванов непроизвольно дотронулся до кармана, в котором обычно хранил документы.

— Ну, допустим...— признал он после непродолжительной паузы.— Допустим, вы меня поразили своей осведомленностью. Раздавили морально и получили психологическое преимущество. А дальше-то что?

— Есть одно предложение.

— Почему-то я именно так и подумал.

К столику неторопливо и с большим чувством собственного достоинства приблизился официант.

— Что-нибудь еще будете? — уточнил у Иванова собеседник.— Чай, кофе?

— Водочки. Из холодильника. Граммов двести.

— Здесь не подают,— озадачился Оболенский.

— Шутка,— успокоил его Михаил Анатольевич.— Минералку какую-нибудь я бы выпил.

— С газом или без газа?

— Без газа пусть на Украине пьют.

— Смешно.— Собеседник вежливо улыбнулся и сказал что-то официанту по-арабски. Сразу стало понятно, что уж его-то словарный запас не ограничивается туристическим разговорником.

— Вы случайно не в Ясенево [1] работаете? — поинтересовался Иванов, когда официант опять оставил их наедине.

— Нет. В свое время я закончил Военный институт иностранных языков.

— Понимаю,— кивнул Михаил Анатольевич. Всем известно, куда и как попадает по распределению большинство выпускников этого уважаемого, но довольно закрытого учебного заведения.— И что же требуется от меня вашему... торговому представительству?

— Видите ли, тут такое дело...— Без сомнения, сценарий сегодняшней встречи был просчитан его собеседником заранее, до мелочей. И все же, перед тем как перейти к предмету разговора, Оболенский какое-то время собирался с мыслями:

— Вчера неподалеку отсюда погибли двое офицеров нашего спецназа. Их автомобиль уничтожили

---

[1] Район Москвы, где располагается штаб-квартира российской Службы внешней разведки.

управляемой авиабомбой с неопознанного самолета.

— Самолет был израильский? Я, кажется, смотрел по телевизору.

— Да, это вызвало ужасно много шума. Хотя насчет израильтян я лично совсем не уверен,— поправил дорогие очки собеседник.— О прибытии наших офицеров в Судан, как вы сами догадываетесь, знал весьма ограниченный круг лиц. Тем не менее кто-то успел получить соответствующую информацию, подготовиться и провести операцию такого уровня.

— Случайности не допускаете? Ошибка в объекте атаки, или, скажем...

— Исключено. Охотились именно за нашими ребятами. И охотились именно потому, что знают, зачем они прилетели в Хартум.

— А мне все это обязательно слышать? Вы уверены?

— К сожалению, да. Уверен. К сожалению...— Оболенский дождался, пока подошедший официант расставит перед посетителями минеральную воду, стаканы и чашечку ароматного, пряного кофе. Продолжил он только после того, как удостоверился в полном отсутствии рядом чужих, посторонних ушей: — Поверьте, Михаил Анатольевич, никто не стал бы обращаться к вам без действительно крайней необходимости... Дело в том, что погибшим спецназовцам было поручено встретить и сопроводить в Порт-Судан определенный груз. Затем его поместили бы на теплоход и доставили морем по назначению. Теплоход, между прочим, называется...

— «Глория»? — процитировал Иванов знакомый с детства диалог из легендарного советского боевика про корону Российской империи.

— Нет, не угадали,— улыбнулся собеседник одними губами, показывая, что шутку он оценил.— Еще интереснее. Теплоход называется «Профессор Пименов».

— Надо же, какое совпадение.

— Причем тут совпадение? Выбор судна и рейса был вполне обоснованным. Требовалось исключить любые неприятности с грузом на море — вроде, например, его случайного захвата сомалийскими пиратами. И при этом избежать ненужного внимания.

Иванов слушал очень внимательно, но вопросов пока не задавал.

— Как известно, пираты предпочитают не связываться с судами, на которых идет вооруженная охрана. Поэтому мы — разумеется, не напрямую, а через третьих лиц,— организовали обращение владельцев «Профессора Пименова» в ваше агентство. Судовладельцы заключили договор на сопровождение, перечислили деньги — в общем, все, как обычно.

«Да,— подумал Михаил Анатольевич,— ничего необычного...»

Несмотря на обязательные поборы страховщиков, сумма выплачиваемого ими выкупа составляет в действительности не более половины фактических убытков, которые несет владелец захваченного пиратами судна. Вынужденный многомесячный простой танкера или сухогруза обходится едва ли не дороже — не говоря уже о компенсациях членам экипажа, расходах на связь, о неизбежном восстановительном ремонте и прочем. Именно поэтому все больше и больше судовладельцев перестраховывается, нанимая дополнительно вооруженную частную охрану, закупая колючую проволоку или даже такие сверхсовременные средства пассивной защиты, как лазеры и акустические пушки. Стандартная группа в три-четыре человека с легким стрелковым вооружением обходится в среднем в двадцать пять—пятьдесят тысяч долларов за один рейс, так что некоторые компании даже заключают с агентствами «соответствующего профиля» долгосрочные договора.

— Ваши кандидатуры в качестве сопровождающих возражений не вызвали. Тем более что ни вы, ни экипаж никогда не узнали бы о характере груза. В судовых документах он выглядит вполне обычно и ни у кого не сможет вызвать подозрений.

Михаил Анатольевич уже понял, что ничего хорошего откровенность собеседника ему не сулит:

— Чего вы от меня хотите?

— Чтобы вы и ваши люди дополнительно взяли на себя и ту часть работы, которая была поручена нашим погибшим сотрудникам. То есть выехали на место, приняли груз под охрану и доставили на борт теплохода. И все. Дальше спокойно делаете то, за что платит вам ваше агентство.

— Наше агентство и так платит нам суточные... Даже за то, что мы просто сидим здесь и, так сказать, ждем у моря погоды.

— Поездка за грузом вам будет оплачена дополнительно.

— Через агентство? — уточнил на всякий случай Иванов.

— Ни в коем случае. В нашем распоряжении имеются специальные фонды.

— Докатились...— тяжело вздохнул Михаил Анатольевич.— Пенсионеров вербуете. Своих профессионалов, значит, в кадрах военной разведки уже не хватает?

— Профессионалов у нас хватает,— обиделся сотрудник торгового представительства.— Не хватает времени на их переброску сюда.

— А подождать никак нельзя?

— Из того места, где находится груз, его надо вывезти как можно скорее. Иначе туда доберутся другие, плохие ребята, и заберут все себе.

— Много там этого вашего... ценного груза?

— Несколько тонн. Два грузовика.

— Если речь идет о наркотиках или радиоактивных материалах...

— Нет, об этом речь не идет.

Иванов подождал, однако дальнейших пояснений не последовало.

— Далеко надо ехать?

— «Профессор Пименов» доберется до порта не раньше чем через четверо суток. Плюс еще какое-то время он будет стоять под погрузкой...— ушел Оболенский от прямого ответа.— Так что времени на дорогу туда и обратно должно быть достаточно.

Иванов сделал глоток минеральной воды:

— И сколько ваше... торговое представительство готово заплатить?

Разумеется, собеседник ждал этого вопроса:

— По пятнадцать тысяч долларов вашим ребятам и двадцать тысяч — вам как старшему.

Михаил Анатольевич подумал ровно столько, сколько было необходимо в такой ситуации, после чего отрицательно покачал головой:

— Нет, наверное, мы откажемся.

— Почему? Денег мало?

— Наоборот. Слишком много.

— Простите?

— Видите ли, если бы вы предложили по пятерке «зеленых» на нос — тогда я еще бы подумал. А так...— Иванов посмотрел собеседнику прямо в глаза.— Большие деньги маленьким людям обычно платят за большой риск. И хватает этих денег потом, как правило, только на похороны.

Настала очередь задуматься Оболенскому:

— Но я ведь вам не свои деньги предлагаю.

— Только не говорите, что у нас очень богатое государство.

— У нас действительно очень богатое государство. И ему очень — очень! нужно, чтобы вы оказали эту небольшую услугу.

— То есть правильно ли я понимаю...— Михаил Анатольевич поднял стакан с минеральной водой, покрутил его и поставил на место.— Правильно ли я вас понял, что родное российское государство очень обидится, если услышит отказ?

— Сами знаете, у нас с вами очень обидчивое государство,— кивнул Оболенский.

Некоторое время мужчины в молчании просидели за столиком.

— Ну, допустим, я соглашусь,— первым нарушил паузу Иванов.— Я соглашусь, а ребята возьмут — и откажутся?

— Надо, чтобы не отказались.

Возражать или спорить, судя по всему, не имело смысла. Африканское солнце неторопливо подбиралось к зениту, и под навес кафе по-хозяйски вползал жаркий воздух.

— Когда вы хотите получить ответ?

— Я совершенно не ограничиваю вас во времени. Подумайте сами, обсудите мое предложение со своими людьми...— Оболенский в очередной раз поправил очки:

— Но в любом случае выехать из Хартума придется сегодня вечером. Не позже двадцати двух ноль-ноль.

— Однако...— невесело улыбнулся Михаил Анатольевич.

— Иначе мы никак не успеваем.

— Кто, простите, не успевает?

— Ах, да, забыл упомянуть... Я поеду вместе с вами,— пояснил Оболенский и не удержался: — Между прочим, за голый оклад. Плюс, наверное, командировочные.

— Нет, я прямо расплачусь сейчас от нахлынувшего патриотизма...— вздохнул Иванов: — Еще кто-то поедет?

— С нами будет еще один человек.

— Вот уже и «с нами»...— Михаил Анатольевич опять усмехнулся. Видимо, у собеседника с самого начала встречи не было ни малейшего сомнения в том, что его предложение будет принято: — Чем обеспечиваете?

Все-таки приятно иметь дело с профессионалом. Оболенский моментально сообразил, о чем идет речь, и ответил по существу:

— Транспорт. Стрелковое вооружение. Бронежилеты. Средства связи.

Михаил Анатольевич задал еще несколько уточняющих вопросов и, кажется, остался удовлетворен тем, что услышал:

— Подготовьте аптечки на всех — лучше натовского образца. Представляете? Такие...

— Представляю. Будет сделано, товарищ подполковник!

— Воды надо больше. Разлейте во фляги, и так...

— Это само собой.

— Сами собой даже лобковые вши не заводятся,— напомнил Иванов: — Когда мы сможем деньги получить?

— Если хотите — сразу привезу, сегодня. Наличными.

— Да, здорово вас припекло,— посочувствовал Михаил Анатольевич.

— Или можно часть суммы на карточку в Ситибанк перечислить,— блеснул в ответ своей осведомленностью представитель российской военной разведки.— Как это у вас в агентстве принято.

— Вы и номера наших валютных счетов, наверное, знаете?

Оболенский промолчал, давая собеседнику понять, что вопрос совершенно излишен.

— Хорошо. Я подумаю. И посовещаюсь со своими людьми.

— Конечно-конечно, подумайте, посовещайтесь...— Собеседник Михаила Анатольевича поискал глазами официанта. Нашел его в дальнем углу, возле стойки, и что-то громко сказал по-арабски. Потом опять обернулся к Иванову: — Мы будем ждать вас с машиной вон там, за углом. И постарайтесь не опаздывать.

* * *

Армянская церковь Святого Григория Просветителя охранялась сегодня усиленными нарядами полиции.

Хотя никогда раньше особой необходимости в этом не возникало — армяне, бежавшие от турецкого геноцида, обосновались в Хартуме с начала прошлого века, и с тех пор община старалась держаться в стороне от любых религиозных или политических конфликтов. К тому же и в самые благополучные времена число ее прихожан едва доходило до полутора тысяч, а теперь даже по воскресеньям на вечернюю литургию приходит всего несколько десятков человек...

Пока у властей не возникало необходимости вмешаться в происходящее. Однако не было никакого сомнения, что от такого большого количества вооруженных людей, собравшихся в этот день перед церковной оградой, можно ожидать чего угодно. Тем более, когда знаешь, что почти все они являются боевиками так называемого арабского ополчения «Джанджавид»...

Название это обычно переводят как «дьяволы на конях». Во время конфликта в суданском Дарфуре нанятые правительством добровольцы-кочевники из «Джанджавид» вырезали повстанцев целыми деревнями, жгли посевы, насиловали, грабили и пытали захваченных в плен. При этом, считая себя правоверными мусульманами, они без тени сомнения разрушали мечети, уничтожали имамов и оскверняли религиозные книги чернокожих суданцев, имевших несчастье веками пахать землю там, где обнаружились нефтяные месторождения.

И сейчас эти боевики меньше всего походили на городских демонстрантов, сторонников демократии и социального равенства, которых показывают в репортажах с Ближнего Востока. Никаких транспарантов, плакатов и лозунгов, никаких политических активистов, позирующих перед камерами, — только суровые, молчаливые люди в платках, закрывающих лица, пестрая лошадиная упряжь да пара невозмутимых верблюдов, покрытых коврами...

Скорее, пожалуй, происходящее перед армянской церковью напоминало временный лагерь какой-нибудь крупной банды разбойников, остановившихся передохнуть в ожидании следующего набега. Единой формы и знаков отличия у кочевников «Джанджавид» не было — хотя большинство из них носило пятнистые или черные брюки и куртки армейского образца. Зато у каждого имелся автомат и какое-нибудь холодное оружие — нож, кинжал или сабля старинной работы

— Что они собираются делать?

— Не знаю.

— Вряд ли президент аль-Башир допустит христианские погромы в столице.

— Президент уже не настолько силен, чтобы ссориться с ополчением. После потери Южного Судана он утратил позиции не только среди радикальных исламистов. Многие офицеры считают его предателем, пособником американцев. Даже в самом ближайшем окружении аль-Башира появилось мнение, что президенту пора передать свой пост кому-нибудь другому или резко сменить политический курс...

— На этой неделе военный переворот будет нам очень некстати,— произнес Оболенский таким тоном, будто речь шла о дожде во время загородной прогулки в Подмосковье.

— Да, пожалуй.

Как известно, в любой стране и при любой смене власти активизируются армия и силовые структуры.

В особенности на границах, что существенно осложнило бы проведение операции.

— Какие новости из дома? Благополучны ли ваши родные и близкие?

— Слава Аллаху, все мои близкие живы и здоровы. Во время последней бомбардировки ракета попала в соседнюю школу, но детей там уже не было. Убило только сторожа.

— Как здоровье полковника Каддафи? — Оболенский поправил плотные жалюзи и отошел от окна, за которым виднелось церковное здание.

— Полковник сражается вместе со своим народом.

Сулейман Аль-Меграхи, оперативный сотрудник Hayat Ann al Jama-hariya [1], говорил по-русски почти без акцента. Когда-то, еще до развала Советского Союза, он прошел курс обучения и специальной подготовки в Минской школе КГБ. Потом некоторое время работал с российскими специалистами, приезжавшими в Джамахирию, и старался всегда иметь языковую практику.

— Я имел честь два раза встречаться с полковником Муаммаром Каддафи лично,— напомнил Оболенский.— Очень жаль, что тогда дипломатам так и не удалось довести свою работу до конца.

Еще не так давно в России объем перспективных контрактов с Ливией оценивался в размере примерно четырех с половиной миллиардов долларов. Именно на эту сумму руководитель страны полков-

---

[1] *«Секретная организация Джамахирии»* — наряду с Maktab Maaloumat al-Kaed (разведывательным бюро Вождя) и военной разведкой Istikhbarat al Askariya является главной ливийской спецслужбой.

ник Муаммар Каддафи обязался закупить российские вооружения в обмен на списание ливийского долга. В январе две тысячи десятого года было заключено пакетное соглашение с Триполи на сумму почти в два миллиарда. Россия тогда предложила ливийцам четыре дивизиона зенитно-ракетных систем С-300, зенитно-ракетные комплексы «Тор-М1», реактивные системы залпового огня, почти пятьдесят танков Т-90С, вертолеты с соответствующими тренажерами и даже две дизельные подводные лодки проекта 636 «Варшавянка». В перспективе Москва и Триполи планировали дополнительно согласовать и подписать контракты на поставку современных российских истребителей, учебно-боевых и транспортных самолетов, а также передвижных береговых ракетных комплексов еще на два с половиной миллиарда долларов.

Однако реально было подписано лишь несколько небольших контрактов на модернизацию вооружений советского и российского производства, находящихся на вооружении ливийской армии, к выполнению которых стороны должны были приступить в две тысячи одиннадцатом году. Был также оформлен еще один контракт стоимостью примерно в двести миллионов — на поставку трех ракетных катеров типа «Молния».

Фактически Россия только собиралась приступить к крупным поставкам вооружений для Триполи. И если бы лидер Джамахирии не опоздал, как минимум, с модернизацией системы своей противовоздушной обороны, военная операция НАТО вполне могла пойти по другому сценарию. Или не состоялась бы вообще... Потому что эшелонированная система ПВО оказалась бы явно не по зубам тем, кто сегодня практически безнаказанно бомбит ливийские города. А подводные лодки российского производства не только позволили бы военно-морским силам Каддафи атаковать вражеские корабли, но и поставили бы под ракетный удар удаленные авиабазы НАТО, откуда ведутся налеты на Ливию.

— Мы сражаемся вместе с нашим вождем. Вместе мы победим или вместе умрем.— Сулейман аль-Меграхи произнес это очень просто и, как показалось Оболенскому, достаточно искренне.

— Есть ли какие-то новости с фронта?

— Опять идут тяжелые бои за Мисурату. От города уже почти ничего не осталось.

— Говорят, вчера там сбили еще один натовский вертолет?

— Да, это правда. Если бы не поддержка мятежников с воздуха, мы покончили бы с ними еще весной.

Противостояние между сторонниками ливийского лидера Муаммара Каддафи и вооруженными повстанцами началось в феврале, и почти сразу во внутренние дела суверенного государства полезло так называемое мировое сообщество. После мартовской резолюции Совета безопасности ООН авиация и флот сразу нескольких европейских стран начали бомбардировки позиций правительственных войск и гражданских объектов, а затем руководство военными действиями было поручено объединенному командованию НАТО. Расчет на молниеносное свержение режима Каддафи, правившего страной почти сорок лет, к удивлению многих не оправдался — авиация западного альянса, убив и искалечив сотни мирных жителей, сумела добиться только фактиче-

63

ского раскола страны и придала вооруженному противостоянию кровопролитный, затяжной характер. Мандат сил НАТО на операцию в Ливии истек в конце июня, однако его благополучно продлили еще на девяносто дней, до конца сентября...

— Говорят, в Триполи начались проблемы с продовольствием?

— Да, и это правда,— подтвердил ливиец.— У нас уже не хватает еды и медикаментов. Запасов хватит всего на несколько недель, а новый урожай собирать невозможно — нефтеперегонные заводы стоят, нет горючего для сельскохозяйственной техники. К тому же начинаются перебои и с пресной водой, из-за того что разрушены крупные скважины.

— Миротворцы...— осуждающе покачал головой Оболенский.

Можно было по-разному относиться к режиму Каддафи. Однако уровню жизни ливийского населения и социальным гарантиям, которые Джамахирия обеспечивала своим гражданам, завидовали не только в арабском мире, но и за его пределами. На каждого члена семьи государство выплачивало за год дотацию в тысячу долларов, пособие по безработице составляло семьсот тридцать долларов, зарплата медсестры — в полтора раза больше. Родители новорожденного получали в подарок сумму, примерно равную семи тысячам долларов США, а молодожены — больше шестидесяти тысяч на покупку квартиры. На открытие нового бизнеса полагалась единовременная материальная помощь в размере двадцати тысяч. Налогов практически не было, зато бесплатными для населения были электроэнергия, образование, медицина и основные лекарства. Государство давало беспроцентные кредиты на покупку автомобилей, возмещая владельцам больше половины их стоимости.

— Когда мало воды и продуктов питания — это действительно очень плохо. Но еще хуже, что нам не хватает оружия и боеприпасов.

Резолюция Совета безопасности ООН по Ливии предусматривала прямой запрет на любые военные поставки противоборствующим сторонам. Однако довольно скоро выяснилось, что руководители западного альянса толкуют соответствующий пункт резолюции исключительно так, как им это выгодно. И когда в средствах массовой информации появились неопровержимые материалы о том, как французы снабжают повстанцев стрелковым вооружением, даже российский министр иностранных дел назвал это «неприятной ситуацией». Серьезного дипломатического скандала, впрочем, не разразилось...

Более того, российский МИД неожиданно заявил, что рассчитывает в любом случае взыскать с Ливии деньги в оплату военных контрактов, которые были заключены, но не выполнены из-за мартовских санкций ООН.

— Сулейман, вы получили подтверждение по поводу груза?

— Да, наши люди со вчерашнего вечера ждут в условленном месте.

— Значит, и нам нельзя терять времени...— Оболенский посмотрел на часы.— Надеюсь, мы доберемся туда уже завтра.

— Если будет угодно Аллаху,— уточнил по-арабски Сулейман Аль-Меграхи.

Ливийцы отвечали за сопровождение грузовиков до границы с Суданом. После этого вся ответственность по транспортировке возлагалась на российскую сторону.

— Я пойду. Еще надо собраться.

— До встречи, мой дорогой друг. До скорой встречи...

Конспиративная квартира, из которой спустя минуту вышел Оболенский, была арендована Секретной организацией Джамахирии еще неделю назад на подставное лицо. Специально для этой встречи. Больше пользоваться квартирой никто не планировал...

* * *

Капитан Али Мохаммед Хусейн выехал из управления ближе к вечеру вместе со своими людьми в гражданской одежде. За ними, стараясь держать необходимую дистанцию, следовал белый китайский микроавтобус, тонированные стекла которого укрывали от посторонних взглядов еще четырех человек, вооруженных автоматами.

Решение о проведении операции было принято на самом верху и обсуждению не подлежало.

Полицейскую сирену и световые сигналы капитан Хусейн приказал не включать по соображениям секретности, поэтому дорога заняла больше времени, чем он рассчитывал.

— Приготовились.

Водитель бесцеремонно заехал колесами на тротуар и остановился прямо перед зданием гостиницы, не заглушая двигатель. Сидевший впереди сотрудник внутренней безопасности выскочил первым и почтительно придержал для Хусейна дверь автомобиля.

— Двое здесь, остальные за мной...— распорядился капитан.

Навстречу вошедшим поднялся охранник. Однако, сообразив, с кем приходится иметь дело, убрал руку подальше от кобуры.

— Внутренняя безопасность!

Никого из посторонних в вестибюле не было, и небольшое помещение быстро наполнилось людьми в форме и в штатском. По требованию капитана дежурный администратор, не задавая ненужных вопросов, выложил на стойку список проживающих в гостинице.

Обнаружив фамилии тех, кто был нужен, капитан Хусейн поискал глазами стойку, на которой обычно висят ключи от номеров.

— У нас электронные замки, господин офицер.

Очень плохо. Это значит, что посетители уносят карточки с собой, покидая гостиницу.

— Вот этот... и эти двое... они сейчас на месте?

— Не знаю, господин офицер,— захлопал глазами портье.— Я недавно пришел. Но я могу проверить...

— Отставить! — Не дожидаясь, пока перепуганный администратор отдернет руку от телефона, капитан обернулся к своим людям: — Поднимаемся на четвертый этаж. Всех задерживать, никого из отеля не выпускать без моего разрешения. Держите под наблюдением лестницу и служебный выход...

В одноместном номере, который числился за гражданином Литовской республики Ивановым, никого обнаружить не удалось. Впрочем, модельные туфли возле кровати, кое-какая одежда на вешалках и туалетные принадлежности в ванной указывали на то, что хозяин намерен за ними вернуться.

— Кусуммак! — по-солдатски выругался Хусейн.

Прежде чем выйти в коридор, он, почти не таясь, достал плоский бумажный пакетик с каким-то сухим веществом и переложил его в нагрудный карман одной из рубашек, висевших в шкафу. Ну, вот и слава Аллаху! Теперь появился прекрасный повод продержать этого иностранца в тюрьме столько, сколько потребуется.

Посещение гостиничного номера, который занимали еще двое подозрительных «моряков», оказалось таким же безрезультатным. Если не считать, конечно, другого, точно такого же, как и первый, пакета с наркотиками, перекочевавшего из оперативных запасов Хусейна в какую-то книжку, лежавшую на подоконнике.

Вместо закладки.

Нет, не то чтобы Али Мохаммед Хусейн был отъявленным негодяем, не имеющим представления о понятиях чести и совести. И ничего против этих троих иностранцев как таковых лично он не таил. Однако служба есть служба, приказы положено выполнять — к тому же капитана вовсе не привлекала перспектива сменить за нерасторопность приличное, теплое место в Хартуме на должность сотрудника контрразведки какого-нибудь приграничного гарнизона.

Капитан в последний раз осмотрел обстановку номера и личные вещи, оставленные постояльцами, после чего отдал распоряжение всем своим людям собраться внизу.

В вестибюле гостиницы первым делом пришлось извиняться за причиненное беспокойство перед супружеской парой из Германии, которую сотрудники внутренней безопасности вот уже четверть часа держали под прицелами автоматов. На свою беду, пожилые немцы собрались погулять по вечернему городу и спустились в вестибюль, когда операция была в самом разгаре...

Капитан Хусейн долго и витиевато на довольно сносном английском языке рассказывал им, как доблестная полиция борется с наркоманами, просил прощения, понимания — и, в конце концов, клятвенно пообещал сурово покарать виновных, сорвав с них погоны и выселив вместе с родственниками до седьмого колена в пустыню Сахара.

Кажется, туристы поверили. Во всяком случае они пообещали никуда не жаловаться и отправились в город.

— Чего тебе?

Упитанный и носатый араб с лысиной на половину головы, которого нашли в техническом подвале, оказался родственником хозяина отеля. По его словам, иностранцы, которыми интересовался господин офицер, заказали автомобиль и недавно отправились на экскурсию. Куда именно? Кажется, в древний город на севере и на развалины храма Мусавварат-эс-Суфра. Он сам собственными ушами слышал, как иностранцы обсуждали этот вопрос с тем портье, который сменился после обеда. Нет, машину они заказывали не через гостиницу. Наверное, нашли кого-то в городе — сейчас большая конкуренция, каждый готов заработать, туристов мало.

Капитан Хусейн опять выругался — на этот раз про себя.

Теперь придется рассылать ориентировки по всем оперативным подразделениям и полицейским постам. И на всякий случай надо будет организовать наблюдение и засаду в отеле...

ГЛАВА 3

Перебираться на ливийскую территорию пришлось через Египет.

— Это куда ж нас занесло? — поинтересовался, вылезая из машины, Николай Проскурин.

И, не дожидаясь ответа, сразу принялся разминать шею.

Все-таки пятерым полновесным мужчинам путешествовать несколько часов в одном автомобиле тесновато. Даже если автомобиль этот — не какая-нибудь городская малолитражка, а джип-внедорожник с кондиционером, радиоприемником и проигрывателем.

— Карья [1], — коротко пояснил Сулейман, вынимая ключ из замка зажигания.

— Понятно, — усмехнулся Иванов, сделав несколько приседаний. У него тоже основательно затекли ноги и начала болеть поясница.

_____
[1] Деревня (*арабск.*).

— Далеко еще ехать? — зевнул Карцев, которому удалось проспать почти всю дорогу.

— Далеко.— Разумеется, Оболенский, сидевший рядом с водителем, не испытывал такого неудобства, как задние пассажиры. Но и он уже выглядел куда менее бодрым, чем в самом начале пути.— Километров пятьсот. Вот бензином заправимся, поедим — и вперед!

— Очень правильное решение,— одобрил Карцев.— Я бы лично пожрал с удовольствием...

— А в тюрьме сейчас макароны...— припомнил Проскурин очередную цитату из фильма.

— Вот и оставался бы дома.— Алексей Карцев перевел взгляд с приятеля на Сулеймана, который как раз вынимал из багажника одну за другой пустые канистры.— Помочь?

— Нет, спасибо,— улыбнулся ливиец.— Они сами нальют и заправят.

Кто такие «они», не имело значения. Бензин был, скорее всего, контрабандный или ворованный, так что бизнес по его продаже у местных жителей был налажен.

— Кстати,— подошел Иванов к Оболенскому,— номера у нас оплачены до вторника.

— Проблем не было?

— Вроде, нет. В гостинице должны подумать, что мы поехали за город любоваться какими-то местными достопримечательностями.

— Мы там личные вещи оставили, между прочим,— вмешался Николай.— И ценности.

— Ну и что?

— Беспокоюсь. А вдруг пропадут?

— Самим бы не пропасть,— проворчал Карцев.

— Пойдемте, перекусим,— позвал Оболенский.— Вон, уже приглашают...

— Не боитесь оставлять без присмотра? — Иванов показал глазами на багажник.

— Здесь ничего не пропадет. Здесь это не принято.

Из египетской деревни к ливийской границе отправились в кромешной темноте. Асфальтированная дорога закончилась почти сразу, и машина со скоростью более ста километров в час соскочила на колею, утрамбованную множеством автомобильных колес.

Сулейман вел машину, почти до упора придавливая педаль газа. Мотор надрывался, и внедорожник летел в юго-западном направлении, ежесекундно подлетая на колдобинах. За пределами световых конусов, которые создавали передние фары, не было видно вообще ничего.

То есть ничего абсолютно. Алексей Карцев какимто загадочным образом опять умудрился заснуть, зато остальные пассажиры могли ему только завидовать. На ходу Сулейман опустил боковое стекло и прикурил самокрутку. Салон джипа наполнился сладковатым травяным духом, который ни с чем нельзя было спутать.

— Сулейман, друг, дай дернуть? — попросил Николай.

— Пожалуйста.

Стараясь не замечать взгляда старшего группы, Проскурин принял сигарету от водителя, который даже не подумал при этом хотя бы на километр снизить скорость. Затянулся два раза и опустил веки:

— Хорошо! Забытый запах молодости...

— На здоровье, дорогой друг,— пожелал Сулейман.— Никто больше не хочет? У меня еще есть.

Алексей Карцев спал, а остальные пассажиры отказались, поэтому Сулейман докурил самокрутку и выбросил ее за окно, в темноту...

Часа через два сумасшедшей езды решено было сделать остановку и выпить кофе.

Пока Оболенский возился с термосом и пластиковыми чашками, Сулейман взял фонарик, чтобы осмотреть машину снаружи.

— Так вот ты какая, жопа мира,— высказал Николай свое мнение по поводу окружающей действительности.

Вокруг была только кромешная чернота и песчаные, низкие дюны — даже звезды попрятались за облаками. Дул сухой и сильный южный ветер.

— Да уж, действительно тьма египетская...— оглянулся по сторонам Оболенский.

— Сколько мы проехали?

— Километров двести. Или немного больше...

Незадолго до рассвета поездка едва не закончилась. На одной из колдобин машину вдруг занесло, и она едва не перевернулась — однако Сулейман резко вывернул руль, так что пассажиры отделались легким испугом. Впрочем, скорость он после этого так и не сбавил.

Над горизонтом стремительно и величественно взошло африканское солнце. Сразу стало понятно, что песчаная равнина уже сменилась предгорьем и скалами.

— Скоро будет граница,— сообщил Сулейман и вопросительно посмотрел на соседа.

— Остановимся,— отдал приказ Оболенский. Потом обернулся назад: — Вооружайтесь.

Сулейман затормозил, подняв колесами автомашины красноватую тучу пыли. Вышел, открыл багажник и передал спутникам два больших, очень тяжелых баула.

Первый был предназначен, скорее всего, для погибших офицеров спецназа, поэтому содержимое его формировалось заранее, в соответствии с их персональными вкусами и предпочтениями.

— Кто желает?

— Ну, давай мне...— отозвался Проскурин.— Ни разу не пробовал.

— Нормальная штука. Не пожалеешь.

Из двух иностранных пистолетов-пулеметов Heckler & Koch один достался Николаю, а другой — Алексею Карцеву, который, впрочем, не высказал по этому поводу особой радости. Пистолетов тоже была только пара, зато отечественного производства — девятимиллиметровые «Грачи» с магазином на семнадцать патронов.

— Этот я забираю себе,— объявил Иванов и протянул второй пистолет Оболенскому.— А этот, значит, вам...

— Спасибо, командир.

— Пользоваться приходилось когда-нибудь?

— Приходилось,— не стал вдаваться в подробные объяснения выпускник военного института иностранных языков. Судя по тому, как он уверенно взял в руки оружие и извлек магазин, сомневаться в словах Оболенского оснований не было.

Поэтому Иванов достал из баула большую коробку с патронами:

— Снаряжайте пока... Сулейман?

— Слушаю вас, уважаемый друг.

— Выбирайте себе, что понравится.— Михаил Анатольевич быстро покончил с содержимым первой сумки. В ней помимо огнестрельного оружия и боеприпасов оказались два легких бронежилета, два прибора ночного видения и еще несколько полезных мелочей, без которых не может обойтись ни один уважающий себя сотрудник спецподразделения.

— Красиво жить не запретишь,— позавидовал Карцев, примеряя на ладони нож, убийственно красивый и в прямом, и в переносном смысле.

Вторую сумку собирал Оболенский, и ее содержимое выглядело намного скромнее и проще. Зато фляги, аптечки, сухие пайки для пустыни и портативные радиостанции были приготовлены для всех, не исключая водителя. Кроме того, на самом дне баула обнаружились три автомата АК-47, брезентовый подсумок со снаряженными магазинами и тяжеленный, похожий на старую черепаху, советский армейский бронежилет времен разгона демонстраций в Ереване и Тбилиси.

— На всякий случай прихватил,— пояснил Оболенский.— Пригодится.

— Надеюсь, что не пригодится...— Иванов обернулся к ливийцу: — Присмотрели себе что-нибудь, дорогой Сулейман?

Выбор стрелкового вооружения был, по совести говоря, невелик. Поэтому Сулейману пришлось взять «калашников» и в придачу к нему два магазина с патронами. Оставшиеся автоматы вместе с двумя последними магазинами Иванов распорядился также переложить в салон, под ноги Оболенскому:

— А то у нас там, на заднем сидении, вообще не повернуться будет.

Ладно, подумал Михаил Анатольевич. Все-таки предстоит не диверсионный рейд по тылам врага. И не охота в горах на какого-нибудь неуловимого главаря бандформирования. Так что имеющегося в наличии ассортимента вполне должно хватить для выполнения поставленной задачи.

— Пристреляться бы...— напомнил Проскурин, любуясь импортным пистолетом-пулеметом.

— Времени нет,— огорчил его Иванов.— И шуметь, как я понимаю, не нужно.

Радиостанции, тем не менее, решили проверить — хотя бы в тональном режиме. Все пять, кажется, оказались исправны.

— Зарядки-то хватит?

— Есть запасные аккумуляторы.

Наконец содержимое сумок было распределено.

— По местам! Поехали.

В машине стало еще теснее, и оставалось только надеяться, что это ненадолго...

Примерно километров через двадцать Сулейман свернул с того, что в этих краях называли дорогой,— впереди был военный городок какой-то египетской войсковой части. Солнце припекало уже в полную силу, и очень кстати на пути обнаружилось что-то вроде райского уголка. Пальмы, сочная, густая зелень, родник... Сулейман долил в радиатор прохладной воды, все наполнили фляги, пластиковую запасную канистру.

Подремать часок-другой в тени кустов не получилось. Зато еще до полудня воображаемая во всех смыслах граница с Египтом осталась далеко позади. А спустя еще примерно час с четвертью на горизонте показался оазис Куфра...

Первоначально в этих краях жили бедуины хамитского племени тубу. Три сотни лет назад они были вытеснены отсюда арабами и ушли в горы. В тридцатых годах прошлого века оазис стал центром сопротивления итальянской колониальной власти, которое продолжалось до тех пор, пока весной сорок первого года итальянцы не капитулировали перед войсками свободной Франции. Впоследствии городок, расположенный в оазисе, стал центром крупнейшего ливийского муниципалитета Эль-Куфра. Справедливости ради следует отметить, что муниципалитет этот является еще и самым не заселенным в стране — на полмиллиона квадратных километров пустыни Сахара здесь всего пятьдесят тысяч жителей. Считалось, что оазис Куфра, а также прилегающие к нему территории вплоть до границы с Суданом и Республикой Чад контролируются Муаммаром Каддафи. Во всяком случае, как пояснил Сулейман, незначительные вооруженные стычки с повстанцами из Бенгази до сих пор неизменно заканчивались победой правительственных войск.

— Успеваем?

— Теперь уже совсем недалеко.

У Сулеймана в машине имелся спутниковый телефон. Однако использовать его без особой необходимости не следовало — каналы связи вполне могли отслеживаться техническими средствами НАТО, поэтому было бы опрометчиво привлекать внимание к своему появлению и раскрывать маршрут.

— Нет таблетки от головы? А то раскалывается, прямо как с похмелья...— Николай произнес это очень тихо, почти на ухо соседу, но Сулейман, управлявший машиной, его каким-то образом услышал.

— Сейчас немного передохнем,— пообещал ливиец.— Здесь у нас будет встреча.

— Значит, и груз забираем отсюда? — уточнил Иванов.

— Нет,— ответил, не оборачиваясь, Сулейман.— В этом городе нас только примут надежные люди. И потом уже отвезут нас туда, где находится груз.

— Еще, значит, ехать куда-то...— почти застонал Николай.

— Конспирация,— пожал плечами ливиец.— Как у вас говорят? Меньше знаешь — лучше спишь.

— И дольше проживешь,— согласился с ним Оболенский.

На первый взгляд административная столица производила удручающее впечатление. На второй и на третий взгляд, собственно, тоже.

Узкие, пыльные и пустые по случаю дневного зноя улочки делали его похожим скорее на бедуинскую деревню, чем на административный центр одноименной ливийской провинции. Глинобитные глухие стены и одноэтажные домики за этими стенами были, казалось, навечно присыпаны красноватым сахарским песком, и на всем пути от окраины к центру Иванов не заметил ни одной вывески или дорожного знака.

— А они тут случайно не вымерли все? Или как?

Вопрос Карцева был риторическим и ответа не требовал. Однако именно в этот момент усталый внедорожник выкатился на площадь перед каким-то общественным зданием. Двухэтажное здание это, конечно же, на дворец не тянуло, однако было сложено из кирпича, имело застекленные окна и размерами выделялось среди окружающих его хижин. В общем, в нем с равным успехом могли размещаться провинциальные органы власти, больница, школа или какое-нибудь полицейское управление.

Как бы то ни было, над его крышей неторопливо развевалось полотнище флага.

А перед входом, на площади, вроде почетного караула стояли две белые «тойоты-лэндкрузер», в которых скучали одетые в штатское, но хорошо вооруженные люди. Их было четверо или пятеро, и еще столько же человек с разнообразным стрелковым оружием расположилось поодаль, в тени двухэтажного здания.

Михаил Анатольевич успел профессиональным взглядом оценить некое нештатное дополнительное оборудование, установленное на джипах, которое явно не было предусмотрено конструкторами японской автомобильной промышленности. В одном случае это оказался крупнокалиберный немецкий пулемет времен Второй мировой войны, а в другом — вполне современная американская установка для запуска противотанковых управляемых реактивных снарядов.

— Ник уммак![1] — простонал Сулейман.

Оболенскому объяснять ничего не потребовалось. Он уже и сам видел, что в небе полощется вовсе не гордое знамя Джамахирии, а красно-черно-зеленый флаг ливийского королевства, который использует вооруженная оппозиция.

В такой ситуации, несомненно, следовало отдать должное самообладанию Сулеймана. Автомобиль под его управлением продолжал пересекать площадь

---

[1] Грязное арабское ругательство.

с прежней скоростью, не притормаживая, но и не разгоняясь.

— Парни, это не наши.— Оболенский потянул из-за пояса пистолет.

— Приготовились,— отдал распоряжение Иванов.

Честно говоря, ни он сам, ни его люди все еще до конца так и не сообразили, что именно происходит, когда прямо наперерез их автомобилю направился совсем юный парень, почти мальчишка. Очевидно, кто-то из старших послал его проверить документы, и теперь паренек, полный гордости за оказанное доверие, повелительно махал автоматической винтовкой, приказывая Сулейману остановиться.

Остальные арабы с ленивым любопытством наблюдали за происходящим.

Вот теперь уже медлить водителю было нельзя. Когда до юноши осталось метров десять, он резко вывернул ему навстречу руль и до пола выжал педаль газа. Спустя секунды раздался глухой звук, и перед лобовым стеклом промелькнуло отброшенное ударом тело.

Люди на площади спохватились не сразу — машина с ревом проскочила мимо них, успев укрыться за ближайшим поворотом.

— Весело у вас тут! — прокричал Николай.

Опустив боковое стекло со своей стороны, он обернулся назад — так, чтобы рука с пистолетом-пулеметом оказалась снаружи.

— Не соскучишься...— Алексей Карцев почти одновременно с ним проделал то же самое на своем месте, изготовившись к стрельбе по преследователям.

Михаил Анатольевич, сидевший посередине, достал из-под ног старый, добрый АК-47 и передернул затвор, загоняя патрон в патронник.

— Голову убери! — приказал он Оболенскому.—
И окно, быстро...

Впрочем, все понимали, что в такой ситуации
можно рассчитывать только на лошадиные силы,
спрятанные под капотом внедорожника, и на води-
тельское мастерство Сулеймана.

И еще — оставалось молиться Аллаху, чтобы люди
на площади не успели связаться с боевым охранени-
ем, выставленным на выезде из городка. Если у них
там вообще выставлено охранение...

* * *

Глядя на изумрудные, добрые, неторопливые волны,
перекатывающиеся за бортом, глядя на бесконечно высокое, чистое небо с невинными белоснежными облаками, почти невозможно было представить, что еще нынешней ночью все вокруг выглядело совсем по-иному.

К тому времени Индийский океан уже пятые сутки ревел и неистово рвался вверх, раз за разом пытаясь с тупым, монотонным усердием дотянуться до
черных разорванных туч. А потом, раз за разом, под-
битым, огромным чудовищем рушился вниз, чтобы
собрать силы для очередного броска...

Благодарение Аллаху, к сегодняшнему утру много-
дневный, изматывающий тела и души шторм утих
окончательно, оставив на память о себе лишь достаточно безопасную океанскую зыбь — на которой одиноко
покачивалось рыболовецкое судно. Жаль, конечно,
что некому было сфотографировать это со стороны —
получилась бы великолепная открытка или реклам-
ный плакат для какого-нибудь туристического агентства...

Раньше траулер занимался добычей тунца, назывался «Barcelona» и ходил под испанским флагом. Но однажды, на свою беду, он подошел под этим флагом слишком близко к сомалийскому побережью. Судно для устрашения обстреляли из гранатометов и взяли на абордаж, сделав заложниками двадцать шесть членов его экипажа. Так как переговоры со страховщиками и испанским правительством по поводу выкупа затянулись, а простой траулера с точки зрения экономики был неоправданной роскошью, сомалийцы стали использовать рыболовецкое судно для своих целей.

Человека, стоявшего в рубке, называли капитан Асад [1]. Это был чернокожий мужчина в годах, с седыми, коротко стриженными волосами и с небольшим шрамом на левой щеке. Когда-то он служил в береговой охране, ловил контрабандистов и браконьеров — и даже представить себе не мог, что судьба приведет его на капитанский мостик судна, захваченного разбойниками.

Но — ничего не поделаешь, на все воля Аллаха...

С тех пор как лет двадцать назад Сомали перестало существовать как централизованное государство и фактически разбилось на зоны влияния племенных вождей и полевых командиров, морское пиратство превратилось в основной источник заработка для местного населения. Благодарение Аллаху, вблизи побережья страны пролегают маршруты океанских танкеров, направляющихся из Персидского залива и стран Азии в Средиземноморье, а также судов, следующих в порты индийского побережья Африки или

---

[1] Лев (*арабск.*).

покидающих их. Учитывая интенсивные торговые контакты стран Азии и Европы, этот нескончаемый поток представляет собой массу объектов для потенциального захвата.

В переполненной оружием стране не составляло большого труда организовать хорошо оснащенные рейдерские группы. К тому же местные власти оказались не заинтересованы в каком-либо противодействии пиратству, а полевые командиры либо закрывают глаза на пиратский промысел, либо участвуют в нём сами.

Среди морских разбойников капитан Асад имел репутацию человека решительного, умелого и удачливого. Впервые он отправился на охоту за «долларами», как называли иностранных моряков на сомалийском побережье, примерно семь лет назад. И с тех пор, несмотря на довольно частое применение стрелкового оружия и даже гранатометов, от рук его людей не погиб ни один иностранец. Объясняется это вовсе не плохой подготовкой, а преднамеренной тактикой Асада, понимавшего, что, пока не проливается кровь, до настоящего и беспощадного преследования дело не дойдет. По тем же причинам его люди не проявляли и жестокости по отношению к заложникам, стараясь, по возможности, не причинять им вреда.

С другой стороны, в последнее время международные военно-морские силы и части специального назначения стали все чаще открывать по пиратам огонь на поражение. Индийцы, русские, американцы... Ситуация окончательно обострилась, после того как совсем недавно, в феврале, на захваченной яхте были расстреляны четверо заложников, граждан

США. Яхта преследовалась кораблем американских ВМС, по которому кто-то из пиратов открыл огонь из ручного противотанкового гранатомета. Американцы ответили...

— Теперь убийство заложников станет частью наших правил,— заявил после этого один из пиратских предводителей.— Теперь любой, кто попытается спасти заложников из наших рук, будет собирать мертвые тела. Больше не будет случаев, когда заложники будут спасены, и мы попадем в тюрьму...

Капитан Асад не разделял подобного подхода к бизнесу. Так же, как и большинство членов его экипажа. В основном это были молодые ребята, потомственные рыбаки из Пунтленда — самопровозглашенного государства на северо-востоке Сомали, привычные к морю и к трудной работе. Несколько человек, составлявших, как правило, абордажную команду, когда-то служили в сомалийской армии или принимали участие во внутренних войнах на стороне местных кланов. Еще трое неплохо разбирались в судовых механизмах, и почти все на борту умели пользоваться GPS-оборудованием.

— Держи ровнее,— приказал капитан рулевому, стоявшему у штурвала.

Тот кивнул, широко улыбнулся, но ничего не ответил. Наверное, его просто никто еще не научил повторять вслух полученную команду.

«Все-таки, это не военно-морской флот,— вздохнул про себя капитан Асад.— И даже не береговая охрана...»

В рубке траулера, слева, на переборке, висел цветной, яркий плакат с какой-то вульгарной, почти полностью голой девицей, моделью журнала «Плэйбой». Смотреть на нее капитану Асаду, как семейному человеку и всякому правоверному мусульманину, было противно. Однако он сам приказал ничего не трогать на судне — рано или поздно испанские рыбаки должны получить его в целости и сохранности. Деньги, личные вещи и ценности люди капитана Асада тоже у иностранных заложников не отбирали. Потому что по законам шариата любая кража — это преступление, тяжкий грех. Хотя, если честно сказать, такой точки зрения придерживался мало кто из пиратских вожаков...

Подойдя к спутниковому навигатору, капитан достал дорогую американскую сигарету и закурил.

Судя по координатам, «Barcelona» сейчас находилась примерно в трех сотнях миль от берега. И в этом не было ничего необычного. Благодаря действиям иностранных военно-морских сил пираты перенесли свой промысел из прибрежных зон Аденского залива и Сомали далеко в океан, к Мадагаскару и даже к берегам Индии. Именно поэтому им пришлось отказаться от использования традиционных парусно-моторных рыбацких шхун и пересесть на суда с более подходящими мореходными качествами.

А вот вооружение морских разбойников не изменилось — все те же АК-47 и ручные гранатометы. Ни ракетных комплексов, ни артиллерийских систем. Да и способ захвата остался прежним: крюки, лестницы, старый добрый абордаж... Разумеется, на каждом уважающем себя пиратском судне имелись спутниковые навигаторы, радиолокационные станции и приемники сигналов идентификации судна AIS, но подобное оснащение обходилось недорого, и купить его мог любой желающий, даже яхтсмены-любители.

...Метка на локаторе появилась примерно к полудню.

— Что за судно? — первым делом спросил командир абордажной команды, поднимаясь на мостик.

— Пока не понятно,— ответил капитан Асад.

Потенциальный объект для атаки шел со скоростью девять узлов курсом на северо-запад.

— Проверим?

— Прикажи своим людям, пускай приготовятся.

Капитан Асад не пользовался услугами портовых информаторов. Пока не возникало такой необходимости. Районы охоты сомалийских пиратов и так были одной из самых оживленных трасс мирового судоходства, и вовсе не требовалось знать точные координаты или время прохождения конкретного судна, потому что они и так следуют беспрерывной чередой. Конечно же, тихоходные балкеры с низким бортом или танкеры предпочтительнее для захвата, но в любом случае не следовало пренебрегать тем, что посылает Аллах.

...Общую тревогу на сухогрузе «Профессор Пименов», следовавшем в Порт-Судан из Китая с промышленными товарами и продовольствием, объявили, когда неизвестное рыболовецкое судно приблизилось на расстояние в две морских мили.

И как только стало понятно, что траулер продолжает идти на сближение, капитан сухогруза связался с владельцами судна и подал сигнал бедствия. Потом он еще какое-то время пытался уйти от погони, а когда понял, что сделать это не удается, приказал экипажу запереться в машинном отделении и задраить люки. Кроме того, он успел, по инструкции, заблокировать намертво двигатели и рулевое управление.

Поэтому, когда с траулера «Barcelona» были спущены две моторные лодки с пиратами, его судно уже легло в дрейф, не подавая каких-либо признаков жизни.

* * *

Поначалу все шло без особых проблем и без лишнего шума. Ровно через двенадцать минут после начала специальной операции небольшая группа военных в форме элитного 32-го батальона ливийской армии уже находилась внутри комплекса зданий «Баб эль-Азизия».

По пути вниз, к бетонному бункеру, на их пути должно было оказаться несколько постов усиленной охраны, с которыми тоже все обошлось без проблем. Тех, кто дежурил на каменной лестнице, перебили в упор из автоматического оружия. Еще троих, находившихся в полутемном коридоре, также удалось уничтожить еще до того, как они успели открыть ответный огонь.

Тусклый свет аварийного освещения то и дело дрожал от приглушенных ударов, доносившихся сверху, из города,— это авиация НАТО совершала на Триполи очередной отвлекающий ракетно-бомбовый налет, загоняя в убежище самого диктатора, его родственников, приближенных и мирных жителей.

Помещение, где, по сведениям агентуры, в настоящий момент должен был укрываться Муаммар Каддафи, было упрятано за бронированной дверью, возле которой заняли оборону две девушки в красных пилотках и полевой униформе.

И вот тут-то пришлось повозиться, упуская бесценное время. Очень плотный прицельный огонь для начала вынудил атакующих остановить продвижение, а затем и вообще отступить за угол, в боковой коридор. Диверсионная группа понесла первые потери...

Наконец, телохранительниц Каддафи все-таки забросали осколочными гранатами из «подствольника». Меньше чем через минуту тяжелая дверь была обложена пластиковой взрывчаткой, и командир группы нажал на кнопку дистанционного взрывателя.

Оглушительный грохот, волна раскаленного воздуха, перемешанного с бетонной крошкой...

— Всем построиться!

Полигон, который использовали для тренировок бойцы GICN — Группы вмешательства французской жандармерии [1], находился на секретной военной базе, расположенной приблизительно в ста пятидесяти километрах от Хартума. С некоторых пор доступ на него был закрыт даже для суданских военных, которым не следовало видеть того, что за пару месяцев соорудили на полигоне иностранные специалисты. Потому что воздвигнутый ими объект представлял собой почти точную копию знаменитой правительственной резиденции в Триполи, с прилегающими кварталами, переулками и подземными коммуникациями...

---

[1] *Groupe d'Intervention de la Gendarmerie Nationale* (*фр.*) — элитное антитеррористическое подразделение французской армии.

— Плохо, очень плохо, господа.

Подразделение GICN было создано вскоре после трагедии на Мюнхенской Олимпиаде, и первоначально его состав насчитывал всего пятнадцать бойцов. Теперь их было почти триста восемьдесят, однако в эту группу отобрали только французов арабского происхождения, свободно владевших языком и по внешнему виду не отличавшихся от обыкновенных жителей Ливии.

— Во-первых, вы не заметили человека, укрывшегося под лестницей. Он перестрелял бы вас в спину, как куропаток...

Настоящее имя старшего офицера, стоявшего перед строем, было известно только весьма ограниченному кругу лиц. Службу в подразделении он начал рядовым бойцом еще в семьдесят девятом, отличившись при штурме мечети Аль-Харам в Мекке. Последней же громкой операцией, проведенной под его руководством, стало недавнее освобождение парусной яхты «Carre d'as IV», захваченной сомалийскими пиратами. Тогда один пират был уничтожен, шестеро захвачены, и никто из заложников не пострадал.

— К тому же вы не учли, что коридоры могут быть оборудованы видеонаблюдением...

Разведка не передавала подобных сведений, однако целиком полагаться на агентуру не следовало.

— И пока вы там разбирались с охраной, объект имел возможность покинуть бункер через запасной выход... в общем, надо еще поработать.— Руководитель операции, одного за другим, осмотрел своих бойцов: — Вопросы?

— А это правда, что в личной охране Муаммара Каддафи состоят исключительно девственницы?

«Все-таки мы французы,— усмехнулся про себя руководитель операции.— И с этим ничего не поделаешь».

— Да, так действительно говорят. Только не надо настраивать себя на романтическое приключение. При поступлении на службу все телохранительницы Каддафи клянутся пожертвовать своей жизнью ради него, если потребуется. И они, между прочим, свои обещания выполняют, поэтому диктатор уже пережил несколько покушений. Например, когда англичане несколько лет назад устроили засаду на Каддафи, было ранено семь телохранительниц, а еще одна погибла, закрыв собой охраняемое лицо... Несмотря на опасность для жизни, девушек-добровольцев, желающих поступить на службу в отряд телохранительниц Каддафи, всегда находилось с избытком. Существует даже специальный колледж, который готовит отобранных кандидаток по жесткой программе, требующей огромного физического и психологического напряжения. Те из девушек, кто выдерживает испытания, становится высококлассным стрелком, экспертом по нескольким видам оружия и мастером рукопашного боя. Еще вопросы есть?

Вопросов больше не было. Во всяком случае, не появилось желающих их задавать.

Поэтому руководитель операции распустил строй, предоставив своим бойцам четверть часа на то, чтобы передохнуть перед следующим занятием по тактике...

Вообще-то, с самого начала боевых действий в Ливии руководители НАТО и главы стран западной коалиции наперебой заявляли, что вовсе не собираются убивать Муаммара Каддафи. При этом их авиация сразу стала прицельно бомбить именно те объекты, на которых мог находиться ливийский лидер.

В результате ударов с воздуха погибли сотни мирных жителей Триполи, включая двадцатидевятилетнего Сейфа аль-Араба, младшего сына Муаммара Каддафи, и троих его малолетних внуков. Было ранено еще несколько родственников Каддафи, однако сам ливийский лидер ни от одного из авиационных налетов не пострадал. Разумеется, комментируя сообщения об очередных бомбардировках Триполи, представители командования Североатлантического альянса каждый раз очень доходчиво объясняли средствам массовой информации, что целями авиаударов НАТО являются исключительно военные объекты, а не гражданские лица. «Нам известно о неподтвержденной информации о гибели членов семьи Каддафи, которая поступает от различных СМИ,— сказал, например, руководитель операции „Объединенный защитник" генерал Шарль Бушар.— Мы сожалеем о любых человеческих жертвах, особенно среди мирного населения».

Как бы то ни было, стало понятно, что даже самыми «умными» авиационными бомбами и управляемыми ракетами лидера Джамахирии достать не удается. И тогда руководство «миротворческой операции» приняло решение об уничтожении Муаммара Каддафи силами спецназа стран НАТО. Диверсионные команды для этой цели готовились сразу несколькими государствами западного альянса, и Группа вмешательства французской жандармерии была как раз одной из них...

— Здравствуйте, мой дорогой друг!

— Добрый день, полковник!

Каждому боевому офицеру известно — появление высокого начальства редко связано с чем-то хорошим. Наверное, подумал руководитель операции, политиканы из Парижа опять начнут торопить. Им плевать, что не до конца отработано взаимодействие между снайперами, есть проблемы со связью и с выходом из зоны огневого контакта, и еще с целой тысячью мелочей, которые вполне могут стоить жизни его людям.

Или — наоборот. От агентуры в ливийской столице вполне могла поступить информация о том, что Каддафи опять покинул свою резиденцию «Баб эль-Азизия» и переместился на запасной командный пункт в окрестностях Триполи. Тогда все тактические занятия придется фактически начинать с нуля...

— Прошу, полковник, проходите.

В командирской палатке высокий гость опустился на парусиновый складной стул, который любезно придвинул ему хозяин.

— У вас тут не жарко.

Официально полковник занимал должность военного атташе при посольстве в Судане. Фактически он осуществлял руководство французской разведкой и координировал в регионе действия всех сил, оппозиционных правящему ливийскому режиму.

— Как настроение ваших людей?

— Готовимся.

Собеседники были знакомы достаточно долго и хорошо, чтобы не утруждать друг друга бессмысленными разговорами:

— Операция по устранению Каддафи откладывается на неопределенное время.

— Откладывается?

— Но не отменяется,— уточнил военный атташе.— А сейчас объединенное командование сил НАТО ставит перед нами другую задачу. Не менее важную...

Прежде чем дать дальнейшие пояснения, полковник попросил очистить стол и развернул на нем топографическую карту:

— Это Ливия. Юго-восток. Узнаете?

— Узнаю,— почти сразу сориентировался в арабских названиях хозяин.

— Вот тут... да, вот тут... находится авиабаза Маатен-ас-Сарра. Вы, наверное, слышали про нее?

— Приходилось. Еще в военной Академии.

Авиабаза Маатен-ас-Сарра была одной из тринадцати баз военно-воздушных сил Ливии и располагалась на крайнем юге страны, в пустыне Сахара, на территории муниципалитета Куфра. Примерно в сотне километров к северу от границы с Чадом. Во время ливийско-чадского конфликта она считалась основной авиабазой в этом регионе, имела три современные взлетно-посадочные полосы и места для стоянки более чем ста боевых самолетов. Когда в восемьдесят седьмом году чадская армия впервые атаковала ливийские позиции, ее наступление захлебнулось, во многом благодаря эффективной боевой работе летчиков с авиабазы Маатен-ас-Сарра. Поэтому перед новым наступлением чадское командование решило устранить угрозу со стороны ливийских военно-воздушных сил. С этой целью был разработан план неожиданной атаки на авиабазу. Атака принесла ошеломляющие результаты: более полутора тысяч ливийцев были убиты и триста захвачено в плен, уничтожено большое количество боевой техники... Потерпев почти невосполнимые потери, деморализованная Джамахирия согласилась на прекращение огня, а затем была вынуждена заключить перемирие.

— Посмотрите.

Фотографии, которые выложил на ливийскую карту полковник, выглядели более четкими и подробными, чем данные спутниковой космической съемки. Очевидно, они были сделаны с самолета-разведчика.

— Посмотрите внимательнее...

Ни одного летательного аппарата на территории авиабазы не наблюдалось. Правда, в самом дальнем конце бетонного поля можно было разглядеть останки нескольких истребителей. Но они были основательно занесены песком, а значит, стояли здесь уже довольно долго. Однако имелись все основания не считать базу заброшенной. Перед зданием контрольно-диспетчерского пункта стояло несколько армейских грузовиков, легковые машины, танк советского производства и два бронетранспортера. Еще один танк перекрывал въезд на базу со стороны метеостанции, а напротив закрытых ангаров угадывалась замаскированная позиция зенитной артиллерийской установки. По всему охраняемому периметру, от солдатской казармы до взлетно-посадочной полосы, были оборудованы капониры.

Разрешение аэрофотоснимков не позволяло разглядеть людей, но, судя по количеству боевой техники, численность их доходила до батальона.

— Видите грузовики?

— Да, конечно...— ответил хозяин палатки.

— Ваша задача — захватить эти грузовики и вывести их на территорию Судана.

— Мы ведь, кажется, пока не воюем с ливийцами? — уточнил на всякий случай командир группы специального назначения.— Во всяком случае, на земле...

— А вам и не надо ни с кем воевать. Воевать будет суданская армия. Ну, и эти... повстанцы.

— Если можно, хотелось бы поподробнее.

— Вот, посмотрите...— склонился над картой полковник.— Основные правительственные силы в Ливии сконцентрированы к настоящему моменту на двух фронтах — в районе побережья у Бреги и города Мисурата, а также в пределах нагорий на границе с Тунисом. Завтра ночью суданская армия здесь... и здесь... углубится на территорию Ливии, чтобы захватить оазис Куфра и установить контроль над Джауфом, а также шоссейной дорогой к центру нефтяных полей Сарир и Мисла. Как известно, эти месторождения с самого начала ливийских событий стали объектом борьбы между правительственными войсками и оппозицией. В итоге повстанцы практически потеряли контроль над месторождениями, хотя периодически пытались его вернуть. И вот теперь президент аль-Башир решил воспользоваться ситуацией в своих интересах.

— От Судана до Эль-Куфры почти восемьсот километров,— прикинул по карте командир спецназа.

— Суданская армия давно уже действует в Ливии. Еще в начале мая они начали переброску дополнительных сил на северо-запад страны якобы для подавления сепаратистов в Дарфуре. На самом деле часть этих войск, под предлогом преследования дарфурских вооруженных формирований и перекрытия каналов их снабжения прошла по чужой территории ровно столько, сколько считала необходимым.

— Без боевых действий?

— Вы представляете себе, что такое пустыня? — улыбнулся полковник.— Здесь не то что ливийские войска — человека встретить порой невозможно. К тому же президента аль-Башира вполне можно понять и простить. После провозглашения независимости Южного Судана он лишается почти всех своих нефтяных ресурсов. Поневоле придется искать что-то новое...

В общем-то, все это было делом политиков. Поэтому офицеры склонились над картой:

— Одновременно отряд примерно из трех сотен сторонников оппозиции на внедорожниках атакует пограничный пункт Тумма на границе с Нигером. Затем, продвигаясь на север, они должны будут овладеть заброшенной военной базой и аэродромом «Аль-Вих», деревней Аль-Катрун и селением Тарагин — родиной многих приближенных Муаммара Каддафи, включая главу его секретариата. После этого под угрозой окажется стратегически важный город Сабха, через который правительство получает топливо, продовольствие и вооружение с территории Нигера, Чада и Алжира.

— А у них сил-то хватит? — усомнился спецназовец в боевом опыте и подготовке ополченцев.

— В любом случае для восстановления путей снабжения ливийское правительство будет вынуждено отрывать с других фронтов силы на конвоирование грузов,— военный атташе аккуратно сложил фотоснимки: — Ваших людей оденут, как местных жителей, снабдят соответствующей атрибутикой и автотранспортом. Будете изображать повстанцев из Бенгази.

В такой ситуации это было вполне разумным решением.

— Главное, ни при каких обстоятельствах не допустить, чтобы грузовики попали в чужие руки.

— А что в них? Я могу это знать?

— Золото. Золотой запас полковника Муаммара Каддафи...

ГЛАВА 4

Золото полковника Каддафи...

«Да, конечно,— подумал капитан Хусейн,— ради такого военного приза стоило покинуть насиженный хартумский кабинет и оказаться в утробе вертолета, несущегося над пустыней со скоростью двести пятьдесят километров в час».

Потому что всем известно — хотя счета ливийского лидера заморожены международным сообществом, он, в прямом смысле слова, сидит на мешках с драгоценным металлом. Если поверить последним данным Международного валютного фонда, в Центробанке Ливии, который находится под полным контролем Каддафи, хранится примерно сто сорок пять тонн золота, стоимость которого сейчас составляет более шести с половиной миллиардов долларов. Этой суммы вполне достаточно, например, чтобы оплачивать услуги небольшой армии наемников на протяжении нескольких лет.

Причем, если большинство Центральных государственных банков предпочитают держать свои золотовалютные резервы в Лондоне, Нью-Йорке или Швейцарии,— золото Ливии находится внутри страны. До начала гражданской войны оно хранилось в Триполи, однако потом прошла довольно противоречивая информация о том, что золотой запас перевезли куда-то на юг, в пустыню, в секретные хранилища недалеко от границы с Чадом и Нигером.

Санкции США и Евросоюза коснулись Центробанка Ливии, ее так называемого «фонда суверенного богатства» и нефтяной госкомпании. Но золотой запас страны вполне может стать для полковника Каддафи спасательным кругом, если только он сумеет его продать. А это не так уж и просто. Считается, что ни один международный банк или торговая фирма, скорее всего, не купят золото, если заподозрят, что оно принадлежит ливийскому режиму. Но полковник Каддафи вполне может обменять золото в Чаде или Нигере на валюту и перевести ее в любую точку мира, в какой-нибудь филиал или отделение Libyan Foreign Bank.

Последние события только спровоцировали рекордное подорожание драгоценного металла.

Давно замечено — золото нравится преступникам, инвесторам и диктаторам. Например, в египетских газетах, которые капитан Али Мохаммед Хусейн читал по долгу службы, неоднократно сообщали, что Иран в последние годы накапливает золотые запасы — видимо, стараясь оградить свои резервы от конфискации. Много золота покупают также Китай, Россия и Индия...

Транспортно-боевой вертолет Ми-24, летевший сейчас в направлении ливийской границы, был одним из двадцати семи, состоявших на вооружении

Судана. Вертолет принадлежал внутренней безопасности, но имел опознавательные знаки военно-воздушных сил. Вместе с самим капитаном на его борту, в грузовом отсеке, находилось шестеро десантников, специально отобранных для проведения операции.

Советские специалисты, как слышал Хусейн, называли такие вертолеты «крокодилами». А что, похоже. Бронированное чудовище — быстрое, сильное, беспощадное... Перед вылетом командир экипажа любезно объяснил пассажирам, что именно эта модификация, помимо скорострельной пушки, оснащена управляемыми ракетами, противозенитным комплексом, самыми современными системами наведения, электроникой и еще множеством самых различных приспособлений, делающими вертолет практически неуязвимым.

И все равно трястись в душной и тесной железной коробке на высоте, как говорится, птичьего полета было несколько неуютно...

Капитан Али Мохаммед Хусейн повернулся на узкой и неудобной скамейке, чтобы в очередной раз посмотреть вниз — через прямоугольное окно, оборудованное для установки ручного пулемета.

Внизу, как и прежде, была пустыня Сахара.

Впрочем, сейчас она вовсе не выглядела такой уж пустынной.

Прямо под брюхом у летящего на север «крокодила», в том же направлении, пыльной медленной гусеницей тянулась колонна бронетанковой бригады. В основном она состояла из старых танков Т-62, произведенных по лицензии советских БМП-1 и бронетранспортеров БТР-80А, а также самоходных артиллерийских установок Abu Fatma, которые в сущности представляли собой лицензионные САУ «Гвоздика». Во главе колонны шли два танка Al Bashier суданского производства...

Как это было сказано во вчерашнем обращении президента?

«Учитывая крайне нестабильную обстановку в Ливии, в Хартуме обеспокоены возможностью переброски оружия с ливийской территории в провинцию Дарфур и использования его оппозиционными силами этой провинции...»

А что еще требуется? Главное — формальный повод. А так называемое мировое сообщество, по обыкновению, услышит только тех, кого захочет услышать. К тому же Ливия сама виновата. Зачем было выдворять из страны сотрудников суданского консульства? В качестве ответного шага президент Аль-Башир объявил персонами «нон грата» нескольких ливийских дипломатов...

По данным внутренней безопасности, на территории Ливии перед началом гражданской войны находилось около полумиллиона суданцев, в том числе десятки тысяч участников вооруженных группировок, действующих в Дарфуре. До сих пор в Судан из Ливии смогло или захотело вернуться всего чуть больше сорока тысяч человек.

Вообще, с точки зрения капитана Хусейна, ситуация на севере страны, в так называемом регионе Дарфур, и до ливийских событий была ничуть не спокойнее, чем в Южном Судане, где ему довелось повоевать. Как и Южный Судан, провинцию Дарфур населяют представители различных народностей, которые в принципе можно объединить в две группы —

чернокожие африканцы и арабские племена, населяющие регион примерно семь веков. И те, и другие исповедуют ислам, однако отношения между двумя этими этническими группами всегда отличались напряжённостью, что приводило к регулярным вооружённым столкновениям. Вплоть до недавнего времени Дарфур представлял собой центр работорговли, причём чернокожие и арабские торговцы соперничали друг с другом при осуществлении набегов на соседний регион Бахр-эль-Газаль для захвата рабов и последующей перепродажи в прибрежные районы Африки. Возникали конфликты, конечно же, и в отношении скудных земельных и водных ресурсов, а в наше время ко всему этому добавился еще вопрос о нефти...

Любое государство, считал капитан, имеет право и просто обязано защищать свои интересы. А нынешние беспорядки в Ливии вызвали общий хаос в системе контроля приграничных районов, которая теперь позволяет мятежникам из «Движения за справедливость и равенство» свободно получать оружие, что несомненно будет использовано для очередного витка конфронтации с суданскими вооруженными силами. К тому же на ситуацию напрямую влияет свободное и бесконтрольное распространение оружия среди ливийцев. Капитан Хусейн собственными глазами видел оперативные сводки о том, что сторонники Муаммара Каддафи оказывают материально-техническую поддержку мятежникам, поставляя им вооружение, джипы и топливо через опорные пункты в провинции Куфра. Имелись также достоверные сведения о том, что разведка Каддафи готовит диверсии на суданских нефтяных месторождениях.

В общем, Али Мохаммед Хусейн, как и большинство его знакомых-офицеров, считал, что президент слишком долго пытался усидеть на двух стульях. Ведь ни для кого, например, не являлось секретом, что уроженцы Судана составляют значительную часть так называемого «африканского корпуса» Каддафи, который воюет сейчас против оппозиции. При этом большинство из них были завербованы непосредственно в Судане через ливийское консульство в этой стране, а официальный Хартум делал вид, будто ничего не замечает. Президенту хотелось, с одной стороны, не особенно злить Вашингтон с учетом обещанного снятия режима экономических санкций, а с другой стороны — постараться сохранить относительно ровные отношения с Триполи, чтобы не спровоцировать северного соседа...

Капитан Али Мохаммед Хусейн потянулся за сигаретами. Но потом вспомнил вежливое предупреждение пилота о том, что курить на борту вертолета не принято, и опять повернулся к окну.

Бронетанковая колонна суданской армии осталась далеко позади. Теперь внизу можно было увидеть отряд бедуинов, передвигавшихся в северном направлении на лошадях и верблюдах.

«Джанджавид».

И правительственные войска, и мятежники постоянно обвиняют друг друга в зверствах. При этом в Дарфуре, как и на Юге Судана, большая часть обвинений касается именно «ополченцев» из арабских кочевых племен. Считается, что от их рук погибло до 30 тысяч чернокожих, но капитан относился к подобным цифрам скептически. Так же, как и к утверждениям врагов суданской государственности о том, что этнические чистки якобы привели к бегству на территорию Чада едва ли не миллиона мирных жителей...

Капитан насчитал уже около сотни всадников, когда один из них, гарцевавший на сером, породистом скакуне, вдруг поднял к небу ствол автомата и выпустил в сторону пролетающей винтокрылой машины короткую очередь. Ясно было, что делает он это не из каких-то дурных побуждений, а просто так — по традиции или же от избытка патронов.

Тем не менее капитан непроизвольно отпрянул от окна и вернулся к размышлениям о полученной миссии.

Европейцы и американцы считают себя умнее всех остальных.

Ливия занимает восьмое место в мире по запасам нефти. А Муаммар Каддафи вместе со своими детьми получал доходы не только от энергетики, но и в различных сферах национальной экономики. И ни для кого не секрет, что средства семьи Каддафи находятся в основном на счетах в банках Великобритании и Швейцарии, а также вложены в недвижимость в Лондоне, Нью-Йорке и Лос-Анджелесе. Поэтому британские и швейцарские власти уже заморозили счета ливийского диктатора. Самого же Каддафи обозвали военным преступником и объявили в международный розыск.

Ну, так и что же?

Последний мировой экономический кризис заставил весь мир заговорить о введении межгосударственных расчетов в золоте. О чеканке золотого юаня объявил Китай, заговорили о золотом стандарте и на Ближнем Востоке. Причем главным инициатором отказа от расчетов в долларах и евро стал не кто иной, как полковник Муаммар Каддафи, призвавший арабский и африканский мир к переходу к расчётам в единой валюте — золотом динаре. На этой финансовой базе он,— ни много ни мало,— предлагал создать единое африканское государство с арабо-негритянским населением численностью в двести миллионов человек. И эта идея нашла довольно влиятельных последователей, от Индонезии до Ирана...

Западные страны перепугались. Незадолго до начала военного вторжения в Ливию по этому поводу пришлось высказаться даже французскому президенту Саркози, заявившему, что «ливийцы замахнулись на финансовую безопасность человечества». Хотя, в сущности, Муаммар Каддафи всего лишь попытался повторить попытку генерала де Голля — выйти из зоны сомнительных бумажных денег и вернуться к золотому стандарту. То есть замахнулся на главную ценность современного либерального мира — банковскую систему.

Европейцы и американцы как-то сразу забыли, что именно золото, например, позволило Великобритании покупать оружие и продовольствие у Соединенных Штатов на начальном этапе Второй мировой войны. Судьба фунта стерлингов тогда была очень туманна, а вот золотой запас американцами принимался к расчетам охотно.

Именно золото помогало когда-то существовать режиму апартеида в ЮАР. И сегодня жители Вьетнама прячут золото, чтобы попытаться пережить беспрерывные девальвации донга, проводимые коммунистическим режимом...

Недели две назад Хусейн присутствовал на пресс-конференции, которую перед вылетом из Хартума прямо в международном аэропорту дал один из чиновников НАТО.

— Сохранение Каддафи у руля послужит дестабилизирующим и деструктивным фактором для всего арабского мира,— говорил тогда этот чиновник.— Каддафи накопил огромные подпольные золотые резервы и будет использовать эти деньги, чтобы творить безобразия и мешать не только своим непосредственным соседям, но и в более отдаленных регионах...

А ведь золото, усмехнулся тогда про себя капитан, не выбирает победителей и не знает, кто прав, а кто виноват. Владение им освобождает вас от внешнего контроля, будь то инфляция или санкции Организации Объединенных Наций. Золото не делает ваше «дело» правым, но определенно и не налагает на вас какую-либо вину. По крайней мере пока...

Полет над пустыней продолжался недолго, но от постоянной вибрации, тряски и грохота вертолетного двигателя у капитана Хусейна уже начала болеть голова.

В детстве он никак не мог понять, отчего в небе время от времени сталкиваются самолеты. Небо ведь такое большое, всем должно хватать места...

А теперь догадался. Пустыня — она ведь тоже огромная, словно небо, только проторенных человеком путей в ней не так уж и много.

Вот и сейчас внизу, почти прямо по курсу показалось несколько белых «тойот». Автомобили на большой скорости направлялись туда же, куда летел вертолет, и над каждым из них развевался трехцветный флаг ливийской оппозиции. Союзники...

Они тоже не прочь были бы завладеть легендарным золотом Каддафи.

Так же, как и страны западной коалиции. Которые ни за что не упустили бы такой возможности компенсировать себе за счет самого ливийского диктатора все, до последнего цента, расходы, понесенные ими в процессе его устранения...

Достоверная информация о том, что какая-то часть золотого запаса Муаммара Каддафи, предназначенная на продажу, вывезена из специального хранилища на авиабазу Маатен-ас-Сарра, поступила в Хартум от агента суданской разведки. И делиться этой информацией президент Аль-Башир пока ни с кем не собирался. Если золото ливийского диктатора достанется ему, то Судан вполне может превратиться из второстепенной фигуры локального вооруженного конфликта в полноправного участника переговоров с Западом о будущем военно-политическом устройстве региона.

И капитан Али Мохаммед Хусейн выполнит порученную миссию во что бы то ни стало.

Ради будущего своей страны. Ради собственного светлого будущего, в конце концов...

Капитан попытался представить себе новый дом с застекленной верандой, большим гаражом и открытым бассейном, представительский «мерседес», повышение в звании, должность начальника управления — и у него даже перестала болеть голова.

А еще через несколько минут командир экипажа сообщил по внутренней связи, что они приближаются к точке высадки, где вертолета уже дожидается отдельная рота спецназа.

* * *

Аварийный судовой маяк был разворочен прикладами и выведен из строя в первую очередь.

Однако военные корабли НАТО, скорее всего, успели перехватить его сигнал, так что времени терять не следовало. В любой момент на экране локатора могла появиться светящаяся отметка, обозначающая приближение какого-нибудь «охотника за пиратами» из состава международных военно-морских сил.

— Асад, я нашел! — доложил, забегая на мостик «Профессора Пименова», чернокожий худой паренек из абордажной команды.

— Слава Аллаху...— Сомалиец взял у него из рук портативную рацию, оставленную в каюте кем-то из членов экипажа.

Судя по всему, эвакуация моряков происходила хотя и поспешно, но вполне организованно. На «Пименове», как и почти на каждом судне, оказавшемся в этих водах, существовало специально оборудованное помещение, куда экипаж должен прятаться в случае нападения. Переборки туда открываются с обеих сторон, но если изнутри задраить люки, то есть, например, вставить наглухо болт, вход снаружи блокируется. И открыть его можно будет только самим запершимся морякам. А если к тому же задраить все люки и краны, то помещение вообще станет герметичным. Тогда экипаж даже выкурить из него нельзя. Учитывая запас провианта и воды, который делается заранее, в таком укрытии вполне можно продержаться пару суток.

Узнав от своих людей, высадившихся на сухогруз, что команда «Профессора Пименова» именно так и поступила, командир сомалийских пиратов решил лично прибыть на борт захваченного судна.

— Установите мне связь с экипажем,— распорядился он в первую очередь.

Обычно, когда пираты атакуют судно, им удается взять команду в заложники. И дальше уже остается только под дулами автоматов указывать его капитану, каким курсом вести судно.

Теперь требовалось придумывать что-то другое. И, по возможности, быстро.

Двери в машинный отсек были сварены из металлического листа, и, на то чтобы вскрыть их при помощи автогена или электропилы, понадобилось бы несколько часов. От ручных гранат толку тоже было не много. Конечно, противотанковые мины советского производства, которые остались сомалийцам еще со времен войны с Эфиопией, решили бы эту проблему за считанные минуты. Однако Асад оставил этот вариант на самый крайний случай: во-первых, он не имел никакого желания возиться с размазанными по переборкам человеческими останками, а во-вторых, уничтожение экипажа все равно не помогло бы запустить двигатели и вернуть судно к жизни.

О том, чтобы три сотни миль тащить захваченный сухогруз на буксире до побережья, в данном случае не могло идти речи — пиратская «Barcelona» имела слишком маленькое водоизмещение и не предназначенные для такого выполнения задачи двигатели. К тому же рули «Профессора Пименова», загруженного почти по ватерлинию, были повернуты на циркуляцию...

— Господин капитан, вы меня слышите? — нажал сомалиец на кнопку портативной рации.

Вопрос был задан по-английски, на международном морском языке, понятном любому судоводителю. Кстати, Асад знал и несколько русских выражений, которым когда-то его научили советские военные советники, долгие годы постоянно находившиеся в Сомали. Впрочем, почти все русские слова, которые остались в его памяти, были не слишком приличными или же относились к торжественному ритуалу употребления технического спирта.

— Господин Любертас?

Фамилия и имя капитана значились в нескольких судовых бумагах, обнаруженных людьми Асада при осмотре кают и помещений сухогруза.

— Господин Генрикас Любертас, вы меня слышите?

Рация молчала, и в этом не было ничего удивительного. Осмотрев следы пуль в металлической переборке машинного отделения, Асад уже понял, что абордажная команда успела основательно пошуметь и перепугать несчастных моряков до полусмерти. Поэтому переговоры с капитаном сухогруза приходилось начинать не в самой лучшей психологической атмосфере.

— Отвечайте, пожалуйста.

В паре кабельтовых от «Профессора Пименова» мирно переваливался с борта на борт пиратский траулер. А вот на мостике сухогруза, стоявшего лагом к волне, качка практически не ощущалась.

Не считая самого Асада, здесь находилось всего два или три человека. Командир абордажной команды с отборными головорезами ждал перед входом в машинное отделение, а остальные пираты распределились по палубе судна...

— Кто это говорит? — несмотря на помехи, голос в динамике рации звучал вполне отчетливо.

— Меня зовут Асад. Сомалийская береговая охрана. Имею ли я честь говорить с капитаном судна?

— Да, вы имеете такую честь.

— Очень приятно, господин капитан. Я хотел бы принести свои извинения за те неудобства, которые сейчас испытывает команда судна. Также я предлагаю вам и вашим людям добровольно выйти из убежища, чтобы начать с нами конструктивное сотрудничество. Гарантирую всем морякам неприкосновенность и хорошее отношение.

— Предупреждаю, господин Асад, что я успел сообщить о нападении, и скоро здесь будут военные корабли.

— Вполне возможно.— Сомалиец свободной рукой достал из пачки дорогую сигарету.— У нас действительно мало времени. Но и у вас его тоже не много.

— Почему же? Мы располагаем запасом воды и продовольствия, которого хватит на несколько суток.

— К сожалению, этот запас не понадобится вам в любом случае,— кто-то из сомалийских пиратов поднес зажигалку, чтобы Асад прикурил от нее.— Встреча с военными кораблями не входит в наши планы. Поэтому, если мое предложение не принимается, я буду вынужден затопить ваше судно.

— Простите? — Капитану сухогруза показалось, что он не совсем понял последнюю фразу.

— Повторяю. Я буду вынужден затопить ваше судно. Вместе с грузом и, как это ни печально, вместе с его командой. Поверьте, у меня есть для этого все технические возможности. Вы ведь понимаете, что вход в машинное отделение можно заблокировать не только изнутри, но и снаружи?

— Допустим,— после некоторой паузы ответил капитан.

— У нас есть четыре противотанковые мины, а на судне имеется несколько газовых баллонов. Этого вполне достаточно, чтобы взорвать, например, танки с топливом и повредить обшивку ниже ватерлинии. После этого огонь и вода отправят ваш сухогруз на дно за считанные минуты.

— Зачем вам это нужно?

— Мне это совершенно не нужно,— заверил сомалиец.

Больше всего он рассчитывал сейчас на то, что этот разговор слышат не только его люди на мостике, но и судовая команда, томящаяся вместе с капитаном в душном и тесном металлическом ящике.

— Но я вынужден буду это сделать. Хотя бы для того, чтобы не оставлять свидетелей. Вы меня слышите, господин капитан?

— Да, я вас слышу.

— Господин капитан, какой смысл в том, чтобы умереть за чужое имущество? Мне кажется, что деньги ваших судовладельцев не стоят даже одной человеческой жизни...

Асад докурил сигарету до фильтра и поискал глазами что-нибудь вроде пепельницы. Выкидывать окурок за борт, в Индийский океан, не хотелось — для настоящего моряка это был дурной тон и плохая примета:

— Надеюсь, что ваш экипаж придерживается такого же мнения.

— Я думаю, что вы блефуете!

— А вы проверьте,— предложил сомалиец.

— Нам надо посовещаться.

— Разумеется. Я даю вам на это...— Асад посмотрел на судовые часы,— ровно пять минут. После этого мои люди начинают минировать судно.

* * *

В закрытом ангаре, который раньше использовался ливийцами для ремонта авиационной техники, было душно и сухо. Конечно, не так, как в герметически запертом машинном отделении теплохода, но нагретая за день металлическая крыша ангара создавала внутри него температуру, которая больше всего подходила бы для общественной сауны. Только вместо приятного запаха чистого дерева здесь воняло резиной, машинным маслом и электросваркой.

Самолетов в ангаре давно уже не было.

Вместо них рядом с тяжелыми раздвижными воротами сейчас одиноко стоял десятитонный армейский грузовик, разукрашенный для маскировки серо-песочными пятнами.

— Осторожнее с огнем, ребята...— напомнил Иванов.— А то черт его знает, что и где у них тут разливали.

— Понятно, командир,— отозвался Проскурин.

Он был занят ответственным делом — готовил еду на походной бензиновой плитке. Рядом с плиткой, на ящике из-под снарядов, теснились сухие лепешки и зелень, добытые Сулейманом, а также несколько банок консервов. Посередине импровизированного стола красовался трехлитровый чайник с водой. Чайник был закопченный, без крышки, с отбитой местами эмалью, и никто так и не понял, откуда он появился.

— Извините, Сулейман,— Иванов повернулся к ливийцу.— Продолжайте, пожалуйста.

Собеседники расположились рядом друг с другом, поверх спальных мешков, расстеленных прямо на бетонном полу. По причине жары на них оставались только трусы, а вся остальная одежда, уложенная под голову, заменяла подушки.

— НАТО желает добиться победы над Ливией усилением бомбардировок, под прикрытием которых мятежники пытаются продвинуться вперед,— опять заговорил Сулейман.— Если раньше альянс отрицал факты бомбежек жилых домов, то теперь он этого даже не скрывает. Гибнут десятки и сотни мирных жителей. Кроме того, авиация пытается уничтожить гражданскую инфраструктуру страны. Доходит до того, что самолеты прицельно бомбят сельскохозяйственные фермы, плантации, где выращивают арбузы и дыни. Западные агрессоры пытаются подорвать возможности нашего сопротивления, вызвать голод. По примеру ударов по Югославии Запад пытается поставить Ливию на колени. Расчет у них на то, что ливийцы, не выдержав тягот войны, сдадутся...

— Пока не похоже.

— Да, как видите, агрессия против Ливии затянулась гораздо дольше, чем планировал Запад, но пока особых результатов не заметно... Точнее, результаты есть, но вовсе не такие, на которые рассчитывало НАТО. Подобные удары продемонстрировали на всю страну, кто ей друг, а кто враг. Все прекрасно понимают, что друзья не станут бомбить их жилища и убивать простых ливийцев. Они очень сильно озлоблены на Запад и с каждым новым ракетно-бомбовым ударом укрепляют единство вокруг Муаммара Каддафи, шлют проклятия агрессорам. Народ солидарен со своим вождем. Все мечтают лишь о том, чтобы скрестить оружие с ними на суше.

Сулейман повернулся, чтобы поправить одежду под головой:

— Представители альянса утверждают, что им удалось уничтожить бо́льшую часть нашей армии. Кое-кто из западных журналистов говорит, что на стороне правительства остались всего несколько сотен фанатиков... Это неправда. Армия Каддафи — весь народ. Под его контролем только ополченцев около миллиона. Пару месяцев назад Англия и Франция направили против Каддафи сорок вертолетов «апач». Как видите, никакого перелома в боевых действиях они не принесли. Напротив, именно НАТО стало нести большие потери. Мы уничтожили уже четыре вертолета. Причем кадры падения в море одного из них показывали даже те арабские каналы, которые занимают по отношению к Ливии враждебную позицию.

— А вообще-то, как обстановка на фронте?

— Мятежники никак не могут продвинуться в глубь страны ни по одному из направлений — ни от границы с Тунисом, ни со стороны Бенгази, ни со стороны Мисураты. Причем Мисурата, я сам видел, находится в основном в руках наших войск. Полностью зачистить город от мятежников мешает только то, что они отгородились живым щитом из взятых в заложники детей.

— Говорят, за Каддафи сражается целая женская армия? — неожиданно вмешался в разговор Проскурин. Кажется, у него уже закипела вода, и пришло время открывать пакеты с концентратом.

— Ничего странного в этом нет,— ответил Сулейман.— Хотя некоторые и удивляются тому, что ливийские женщины взяли в руки оружие. И вовсе не случайно они столь сильно поддерживают нашего лидера. Как матери, они прекрасно осознают заботу Каддафи об их детях. Он ведь помогал многодетным и бедным семьям деньгами и продуктами.

— Это, конечно, да, но...

— Наши женщины стали прекрасными воинами. Вы, возможно, не знаете, однако с момента революции шестьдесят девятого года полковник Каддафи осуществлял комплексную воинскую подготовку женщин, помня о том, каким издевательствам они подвергались при итальянских колонизаторах. Муаммар Каддафи всегда мечтал о том, чтобы в случае необходимости женщины могли защитить себя сами, когда рядом нет мужчин.

— И все-таки, сражаться в одиночку против целой коалиции...— покачал головой Иванов.

— Почему же в одиночку? — Сулейман даже привстал на своей импровизированной лежанке.— Руководство стран, воюющих против нас, утверждает, что ливийское правительство находится в полной политической изоляции. Но Алжир, например, отказался открыть свое воздушное пространство для авиации НАТО. Да, никто официально не ввязывается в войну на нашей стороне, но зато Ливия получает помощь из многих арабских и африканских стран. Египтяне, к примеру, и те же алжирцы прекрасно помнят, какую важную роль играла Ливия, помогая их освободительной борьбе против французов.

— Боюсь, что это только начало большого пожара...

— Разумеется, всем понятно, что на Ливии агрессоры не остановятся. Они уже ведут активную подрывную работу против Сирии. Против нашего лидера однозначно выступили лишь Катар и Эмираты. Это маленькие государства, руководимые продавшейся Западу элитой, которую он защищает прежде всего от их собственного народа. И защищает как раз, казалось бы, самые недемократические монархические режимы. Почему? Да потому, что они повязаны кровью. Они поддерживали террористов у вас, на Северном Кавказе — вроде того же Басаева...

— Сволочь,— отозвался на знакомую фамилию Проскурин.

— Эти же предатели арабского единства отдают Западу нефть по выгодной ему цене и взамен получают молчаливое согласие на все свои действия. Взять хотя бы нынешнего катарского короля, который при помощи американцев согнал с трона своего родного отца, и отблагодарившего их предоставлением военных баз. В народе его презрительно называют «нефтяным бароном» и «наемником», так что симпатии значительного большинства арабов на стороне Муаммара Каддафи.— Сулейман сделал глоток воды из лежащей рядом с ним фляги:

— Так называемый Переходный национальный совет — это чрезвычайно рыхлая структура, в которой идет постоянная грызня за деньги и влияние. Он состоит в основном из предавших своего лидера чиновников и из сторонников радикального ислама. Это узкая кучка людей, опирающаяся на завербованных в других арабских странах бандитов. Не случайно народ их называет «крысами». Всем ясно, что цель этих марионеток — отнять у ливийского народа власть и взять контроль за добычей нефти и газа. Поэтому тыл у них весьма ненадежный. Практически ежедневно в занятых мятежниками городах происходят массовые выступления сторонников законного правительства. Поэтому им приходится держать в Бенгази довольно крупные силы.

— Говорят, что повстанцы особо не жалуют негров? — припомнил Иванов какой-то репортаж, увиденный по телевизору еще дома, в Питере.

— Это так,— подтвердил Сулейман.— Жаль, что мы сейчас не можем выглянуть наружу. Я показал бы вам, сколько мирного чернокожего населения собралось сейчас здесь, на авиабазе. Все они убежали из тех деревень, которые нам пришлось временно оставить. Послушали бы вы их рассказы...

Сулейман сделал паузу и продолжил:

— Еще в самом начале войны западные корреспонденты подняли истерику вокруг того, что на нашей стороне якобы воюют наемники из африканских стран. И мятежники использовали это как сигнал для того, чтобы начать геноцид чернокожих ливийцев. В Ливии их всегда жили целые племена. Так вот, мятежники истребляли всех подряд, невзирая на вероисповедание. И это лишний раз доказывает, что ислам для них — ничто. Это просто бандиты. Народ это видит. Так что, как говорили в Советском Союзе: наше дело правое, победа будет за нами...

— Ладно, хорош! Завязывайте со всей этой политинформацией.

— О, никак Петрович проснулся!

— Поспишь тут с вами...— голос у Карцева, обустроившего себе основательное лежачее место на куске брезента, был не слишком довольный. Да и лицо его не выражало особой симпатии к человечеству.— Прямо как в военном училище — ни поспать, ни пожрать толком, одни только беседы о международном положении.

— Если б ты еще не храпел громче, чем они всё разговаривают.— Оболенский протер глаза и присел на расстеленном спальнике.

— Я вообще никогда не храплю! — возмутился Петрович.— Клевета. Мне жена...

— Храпишь, храпишь,— продолжал стоять на своем Оболенский.— Громче танкового мотора. И демаскируешь нас, между прочим.

— Кстати, насчет того, чтобы пожрать.— Проскурин помешал пластиковой ложкой варево, закипавшее на огне, потом поднес ее ко рту, подул и снял пробу: — В общем-то, все готово. Присоединяйтесь, товарищи офицеры...

За импровизированный стол в одних трусах садиться было бы неприлично. Поэтому, прежде чем приступить к приему пищи, каждый хоть что-то накинул на себя.

— Интересно, почему в кузове никто спать не лег? — задал Алексей Карцев общий вопрос.

— А зачем? — удивился Проскурин.— И так дышать нечем.

— А когда ты еще вот так, прямо на золоте, поваляешься?

Все непроизвольно посмотрели на тяжелый КамАЗ, припаркованный у выхода из ангара.

— Да не очень-то и хотелось...

О том, что за груз нужно будет сопровождать в Порт-Судан и по морю, Михаил Иванов и его люди узнали от Оболенского только на авиабазе Маатенас-Сарра, которую контролировали ливийские военные.

Восемь с половиной тонн золота в слитках составляли часть стратегического запаса Муаммара Каддафи. Конечная точка его назначения, разумеется, хранилась в тайне, однако можно было предположить, что драгоценный металл морским путем поступит в распоряжение одного из банков Юго-Восточной Азии.

Выбор такого маршрута определялся достаточно просто.

— Через порты Средиземного моря из Ливии сейчас вывезти ничего невозможно. Блокада...— пояснил Оболенский.— Все прибрежные воды патрулируются кораблями и самолетами сил НАТО. Чтобы переправить золото в юго-западном направлении, к африканским портам Атлантического океана, нужно транспортировать его по территории Чада и Нигера. А это при нынешней военно-политической ситуации равносильно тому, чтобы просто отдать его какому-то чужому дяде... Слишком рискованно.

— А если перевозить самолетами?

— Не получилось. Один раз попробовали,— отрицательно покачал головой Оболенский.

Если верить его рассказу, в самом начале гражданской войны, еще до введения санкций ООН, в Минске приземлился личный авиалайнер ливийского лидера Муаммара Каддафи — Boeing 737. Или, по другим сведениям, Dassault Falcon 900EX с бортовым номером 5A-DCN. Собственно, это не так важно. Важнее, что на его борту находились наличные деньги, золото и бриллианты на сумму в три миллиарда долларов. Западные средства массовой информации моментально подняли такой шум, что МИД Белоруссии выступил по этому поводу с официальным опровержением. Опровержение прозвучало неубедительно — информацию о передвижении самолета из Триполи опубликовали венгерские и мальтийские авиадиспетчеры.

Откуда-то сразу же появились слухи о белорусских наемниках в Ливии, а также о неких «особых отношениях», которые связывают Александра Лукашенко с Муаммаром Каддафи. Белорусскому батьке припомнили обмен визитами с главой Джамахирии, подписанное между странами соглашение об оборонном сотрудничестве, совместные учения ливийских и белорусских военных на полигоне под Барановичами, и еще многое из того, что вполне могло оказаться досужими вымыслами.

А уже в марте авиация НАТО окончательно перекрыла ливийское воздушное пространство.

Оставался, пожалуй, единственный вариант — через Порт-Судан, а затем уже морем в любом направлении...

— Я пойду, посмотрю обстановку.— Сулейман натянул на себя какой-то грязный комбинезон без знаков различия, влез в ботинки и повязал клетчатую куфию [1], спрятавшую почти все его лицо.

— Вы надолго? — уточнил Иванов.

— Не знаю. Закройте за мной.— Повесив на плечо автомат, ливиец направился к выходу из ангара.— Никого не надо впускать, я постучусь, как договорились: сначала два раза медленно, потом еще три раза быстро...

Алексей Карцев, оказавшийся ближе всех, выпустил Сулеймана наружу и поставил на место тяжелый засов, запиравший ворота.

— Ну, а мы тут при чем? — спросил он, возвращаясь к столу.

Оболенский сделал вид, что не понял:

---

[1] Арабский головной платок.

— Ты себя лично имеешь в виду?

— Нет. Я имею в виду наше славное российское демократическое государство, которое вы, если я правильно понял, сейчас представляете.

— Видите ли, парни, любая война очень дорого стоит.— Оболенский проверил, не закипела ли вода в чайнике. — Кто-то из полководцев сказал, что для ее ведения нужны три вещи. Во-первых, деньги. Во-вторых, деньги. И в-третьих,— тоже деньги... Советский Союз, если помните, помогал когда-то республиканской Испании справиться с мятежниками генерала Франко. Мы поставляли им самолеты, различную бронетехнику, пушки, снаряды, патроны. А также инструкторов и специалистов...

— Интернациональные бригады,— кивнул Иванов, увлекавшийся военной историей.

— Так вот, даже тогда это делалось не бесплатно. Испанское правительство отправило в СССР в счет оплаты всех этих поставок практически весь золотой запас своей страны. Об этом у нас не особо писали, однако факт остается фактом.

— Но ведь мятежники победили в конце концов?

— А испанское золото тем не менее осталось у товарища Сталина.

— Ну, в общем, понятно...

Больше к обсуждению этой темы никто не возвращался. Потому что выведывать, когда, как и какие именно системы вооружения собиралась поставить Россия режиму Каддафи за полновесное ливийское золото, не имело смысла. Даже если сотрудник «торгового представительства» знал ответы на этот вопрос, от него вряд ли бы их услышали.

...Сулейман вернулся, когда все уже, включая Карцева, наелись и выпили крепкого черного чаю. Два негромких удара в дверь с большой паузой, потом три — почти один за другим.

На всякий случай Иванов и его люди немного рассредоточились и заняли огневые позиции:

— Открывай!

Вместе с ливийцем в ангар проник свежий воздух, наполненный звуками автомобильных моторов.

— Ну, что там новенького на воле?

— Колонна выходит,— сообщил Сулейман, сняв с плеча автомат и разматывая куфию.

— Скоро поедем?

— Надо, чтобы еще немного стемнело.

— Садитесь, выпейте чаю,— предложил Иванов.

— Да, спасибо большое,— ответил ливиец.

Лицо его выглядело при этом очень усталым и озабоченным...

ГЛАВА 5

По прямой до авиабазы Маатен-ас-Сарра оставалось километров десять. Но в ливийской пустыне так же, как и в горах, далеко не всегда передвигаются по прямой.

Дальше ехать на «тойотах» не имело смысла — свет автомобильных фар и рычание двигателей предупредили бы гарнизон базы о приближении посторонних. А без света машины завязнут у первого же бархана.

— Через полчаса стемнеет окончательно.

— Подождем,— кивнул командир диверсионной группы.

Его дед воевал вместе с союзниками где-то в этих краях против итальянских фашистов. Отец отступал из Алжира после проигранной колониальной войны. И вот теперь в этой чертовой африканской пустыне пришлось оказаться и ему, офицеру французского спецназа.

— Покажите обстановку.

— Есть.— Оператор раскрыл портативный чемоданчик, нашпигованный электроникой.

Пока все шло по плану, хотя одну машину пришлось бросить еще на середине пути, под охраной — японский мотор не выдержал жары и перегрузки. За оставшимися у машины спецназовцами с территории Чад час назад уже вылетела группа на вертолете, чтобы эвакуировать их из зоны военных действий.

Но это была предсказуемая неприятность, которая не требовала внесения в план операции особых изменений. Тем более что в распоряжении французов имелась подробная информация, необходимая для подготовки внезапной атаки на авиабазу.

Данные авиационной разведки, обновлявшиеся каждые четыре часа, давали достаточно полное представление о составе, численности и расположении охраны объекта. Получив эту информацию и обсудив ее с офицерами подразделения, командир разделил своих людей так, чтобы каждый из них имел четко поставленную боевую задачу. Действия снайперов и подрывников были расписаны по секундам, была также определена последовательность уничтожения целей и подавления очагов возможного сопротивления, намечены места проникновения на территорию базы и маршруты передвижения по ее территории.

Пеший марш-бросок по ночной пустыне не представлял для спецназовцев из Группы вмешательства особой сложности — скрытное передвижение в таких условиях отрабатывалось много раз. Не должно было, по идее, возникнуть серьезных проблем и с преодолением проволочного ограждения, опоясавшего территорию авиабазы. Прожекторные посты, часовые на вышках и даже усиленные патрули, которые могли появиться в самый неподходящий момент,— все это также учитывалось и принималось во внимание. А вот какой оборот могут принять события потом, когда начнется организованная диверсантами паника...

Приборы ночного видения, самое современное вооружение и внезапность — все это, конечно, давало французам неоспоримое преимущество. Однако противник имел многократное численное превосходство, поэтому оставалось только надеяться на то, что выполнение поставленной задачи обойдется без потерь.

Неизвестно к тому же, сколько времени после захвата грузовиков предстоит вести бой до подхода основных сил суданцев. Которые, не исключено, в свою очередь попытаются заявить права на трофейное золото...

— Внимание!

По краю неба пролетела пара СУ-25. Штурмовики шли откуда-то с запада на восток, поэтому непонятно было, кому они принадлежат.

— Готово...

Бойцы из Группы вмешательства французской жандармерии, переодетые в арабскую одежду, расположились на отдых — за исключением тех, кто был выставлен в охранение. Командир подошел к капоту белого внедорожника, на котором лежал раскрытый чемоданчик специальной связи, и принялся изучать изображение на экране монитора.

Судя по нему, бронетанковые колонны вооруженных сил Судана и отряды кочевников «Джанджавид» углублялись на ливийскую территорию одновременно по трем направлениям — вдоль границы с Египтом, на север — к оазису Куфра и на северо-запад — к авиабазе Маатен-ас-Сарра.

Спецназовцы опережали их примерно на четыре-пять часов. Если, конечно, союзники не примут решение выбросить на базу парашютный или вертолетный десант...

— Переключите на объект,— приказал командир.

— Есть, переключаю.— Оператор пробежался пальцами по клавиатуре, и на экране возник увеличенный фотоснимок ливийской авиабазы.

— А вот здесь вполне могут быть установлены сигнальные мины.

— У нас нет таких данных.

— И все-таки, они там вполне могут быть...— Командир посмотрел на часы: — Когда поступит обновление?

— Через две с половиной минуты.

Как всегда неожиданно и тревожно запищал зуммер спутниковой связи.

— Слушаю?

— Вы получили последние данные аэрофотосъемки? Командир подразделения сразу узнал голос военного атташе:

— Нет, но мы их ожидаем.

— Ситуация изменилась. Операции на объекте не будет.

— Простите, господин полковник? — Спецназовцу показалось, что он плохо расслышал последнюю фразу.

— Посмотрите на фотографии.

Оператор жестом показал командиру, что по каналу спутниковой связи поступают обновленные данные воздушной разведки.

— Да, господин полковник...

Снимки показывали ситуацию на авиабазе Маатен-ас-Сарра примерно получасовой давности, и первое, что бросалось в глаза,— это совершенно пустая площадка перед зданием контрольно-диспетчерского пункта. Не было видно ни одного грузовика, танка или какой-то иной бронетехники.

— Дайте мне максимальное увеличение!

После того как оператор выполнил команду, стало понятно, что огневых средств нет ни в открытых капонирах по периметру базы, ни на позициях, которые перед этим занимали две зенитные артиллерийские установки. Довершали картину распахнутые почти настежь ворота авиабазы...

— Переключите в режим тепловизора.

Оператор набрал очередную комбинацию кнопок, и на мониторе появилось изображение территории базы, сделанное в инфракрасном световом спектре. Толку, правда, от этого было не много — металлические крыши ангаров и зданий нагрелись за день почти так же, как и огромные резервуары с авиационным топливом, поэтому обнаружить внутри них живые объекты все равно было бы невозможно.

— Вы меня слышите?

— Да, господин полковник.

— Авиабаза покинута примерно полтора часа назад. По данным воздушной разведки, интересующий груз следует под охраной в направлении границы с Республикой Чад. Сейчас они уже находятся примерно в пятидесяти километрах от вас, к северо-западу, координаты...

Не дожидаясь команды, оператор застучал пальцами по клавиатуре, занося в электронику новые данные.

— Какие будут приказания?

— Направляйтесь туда. Немедленно. Перехватите или хотя бы задержите грузовики до подхода суданцев. Дальше действуйте по обстановке...

— Есть,— подтвердил получение новой задачи командир спецназа.— Имеются ли сведения, какая там охрана?

— Мы перешлём вам снимки,— после некоторой паузы ответил атташе.

Что-то в его интонациях насторожило спецназовца. Одно дело — провести диверсионную операцию на объекте, и совсем другое — воевать посреди каменистой пустыни с бронетехникой и целым батальоном сопровождения. Тут и вооружение требуется совсем другое, да и численность...

Тем не менее командир группы по-военному четко доложил о готовности приступить к выполнению боевого приказа. Когда сеанс связи был закончен, он опять попросил оператора переключиться на общую обстановку. Прикинул по карте свое местонахождение. Нашел координаты цели. Потом посмотрел отметку, показывающую, насколько продвинулись к северо-западу передовые суданские подразделения,— и крепко выругался про себя.

Преимущество перед суданцами в расстоянии и во времени явно было потеряно...

* * *

Капитан Али Мохаммед Хусейн несколько лет прослужил в Южном Судане, так что ему не раз приходилось участвовать в рейдах по территориям, которые контролировали повстанцы. Однако такие специальные операции всегда готовились заблаговременно, на основании многократно проверенных данных разведки, с выбором подходящего места для боевого контакта и маршрутов отхода, а также с учетом возможной воздушной и артиллерийской поддержки...

Сейчас все происходило совсем по-другому.

К тому моменту, когда капитан Хусейн увидел в прибор ночного видения отблески автомобильных фар, командир 4-й отдельной роты спецназа едва успел поставить задачу своим офицерам, определить сигнал открытия огня, порядок огневого поражения противника — и отправить их на оборудование позиций. Что уж там говорить — времени на подготовку засады было так мало, что ротным саперам пришлось заканчивать свою работу едва ли не перед самыми гусеницами дозорного БТР...

Посреди каменистой пустыни особо не окопаешься, однако место для предстоящего боя особенно выбирать не пришлось — на маршруте ливийской колонны был единственный более-менее подходящий участок, который она не миновала бы в любом случае...

Прикомандированного к засаде офицера внутренней безопасности командир роты определил примерно в двух сотнях метров от того места, куда заложили фугас. Сами же передовые позиции были оборудованы значительно ближе — так что капитан Хусейн и пулеметчик с ПКМ [1], в задачу которого входило огневое прикрытие группы, оказались фактически в тылу основных сил спецназа.

Зато отсюда, с вершины бархана, открывался отличный обзор, позволявший просматривать и простреливать русло какой-то безымянной реки, пересохшей еще во времена фараонов.

---

[1] Пулемет советского производства калибра 7,62 мм.

...Шум большого количества двигателей нарастал, приближаясь, и капитан Хусейн надел очки с приборами ночного видения. Никакого движения на позициях заметно не было, рация тоже молчала, поэтому капитан едва не пропустил сигнал командира «Внимание», по которому лежащий рядом с ним спецназовец снял оружие с предохранителя и приготовился к немедленному открытию огня.

Сначала русло высохшей реки наполнили электрические отблески фар, а уже вслед за ними из-за поворота показался передовой дозор колонны — бронетранспортер и танк, в котором капитан сразу узнал немного модернизированный ливийцами советский Т-72.

Как оказалось, со своей позиции капитан мог увидеть не всю колонну. Во главе ее, на расстоянии от передового дозора шла зенитная самоходная установка «Шилка», за которой пристроились грузовики «Урал» с солдатами, армейские КамАЗы, топливные заправщики и несколько обыкновенных пассажирских автобусов. А вот хвост колонны, растянувшейся вдоль дороги, скрывался за поворотом — и о том, какие силы противника оставались вне зоны видимости, можно было только догадываться.

Приглядевшись, капитан Хусейн понял, что все «Уралы» оборудованы КПВТ — советскими крупнокалиберными пулеметами Владимирова, а борта их украшают тяжелые бронежилеты, развешанные для дополнительной защиты. Потом он перевел взгляд на автобусы, которые даже через прибор ночного видения выглядели вполне мирно и не опасно.

...Взрыв прогремел, когда бронетранспортер уже проехал немного вперед, а с местом закладки фугаса поравнялся танк Т-72.

Прибор ночного видения сыграл с капитаном Хусейном злую шутку. Яркая вспышка ослепила его, и, зажмурив глаза, он чуть позже, чем надо, сообразил, что нарушил одно из непререкаемых правил ночного боя — отключать специальную оптику перед использованием мин или осветительных средств. Поэтому, когда к капитану снова вернулась способность видеть происходящее, танк уже мертвой громадой застыл на дороге со свороченной набок башней. Одновременно с танком был уничтожен и БТР-70 передового охранения — его почти в упор расстреляли из гранатометов.

...Как известно, основной задачей засады является нанесение противнику максимального поражения в течение первых секунд боя, прежде чем он сумеет оказать организованное противодействие. Поэтому на колонну, машины которой были вынуждены затормозить, чтобы не столкнуться друг с другом, моментально обрушился шквал огня из всех видов вооружения, которым располагали спецназовцы.

Первыми целями были выбраны экипажи «Уралов» и расчеты установленного на грузовиках тяжелого стрелкового вооружения. Пулеметчики отработали по ним без перерыва, израсходовав сразу по целой ленте, в результате чего у противника появилось большое количество раненых и убитых. Огонь из подствольников оказался также достаточно эффективным — четыре первые грузовые машины с солдатами замерли сразу, еще одна загорелась, укатившись с дороги в песок.

Старое русло было заполнено грохотом взрывов и постоянной стрельбой. Поэтому капитан Хусейн не мог даже представить себе, как развиваются события за поворотом, где, по его расчетам, должен был находиться хвост колонны. Впрочем, не это было сейчас его главной заботой — азарт боя целиком захватил капитана, и мир вокруг сузился до ощущения вздрагивающего при каждом выстреле автомата.

Расстреляв очередной магазин, капитан Али Мохаммед Хусейн спохватился — следовало контролировать расход боеприпасов и перевести автомат в режим одиночной прицельной стрельбы.

Точно так же, судя по всему, поступили и остальные спецназовцы. По ливийцам, которые успели выпрыгнуть из грузовиков, теперь стреляли из подствольников и пулеметов — но уже короткими очередями. Снайперы тоже не прекращали своей работы — они методично выцеливали и уничтожали ливийских офицеров и тех солдат, которые не поддались панике, пытаясь организовать оборону.

А таких среди ливийцев оказалось не так уж и мало. Постепенно они определили, откуда ведется огонь, и начали огрызаться из автоматов и подствольных гранатометов. Несколько точных, коротких и злых очередей по суданским позициям успел выпустить и КПВТ, уцелевший на одном из «Уралов», — пока с ним не было покончено раз и навсегда.

У суданцев, как понял из переговоров по рации капитан Хусейн, появились первые потери.

К тому же спецназовцы не сразу смогли вывести из строя легендарную «Шилку» — самоходная зенитная установка, прекрасно приспособленная для стрельбы по наземным целям, буквально снесла вторым или третьим залпом своих 23-миллиметровых пушек бархан, на котором находился командир роты специального назначения.

Руководство ведением боя пришлось принять на себя его заместителю, который немедленно приказал сосредоточить на «Шилке» огонь всех оставшихся в его распоряжении сил и средств. Гранатометчики почти сразу поразили гусеницы зенитной установки, однако ливийцам удалось уничтожить еще одну огневую позицию суданского спецназа, прежде чем была пробита броня, и экипаж окончательно вышел из строя.

Вслед за этим заполыхал очередной бензовоз. При свете клубящегося столба пламени капитан увидел несколько десятков женщин и детей, в основном чернокожих, лежавших на песке, вдоль дороги, возле автобусов, стекла которых были выбиты пулями и осколками. Те, кто выжил после первых минут нападения на колонну, пытались укрыться от нескончаемого обстрела за колесами и камнями — хотя прицельного огня по ним сейчас никто не вел, и все жертвы среди гражданского населения следовало считать, с точки зрения капитана Хусейна, неизбежной случайностью.

«Как командир засады вы можете колебаться некоторое время,— припомнилась Али Мохаммеду Хусейну инструкция для британских специальных подразделений.— Вы вправе считать, что гражданские лица официально служат у противника. С другой стороны, убийство мирного жителя приведет к напряженности в отношениях с местным населением. Однако возможно, что цель засады гораздо важнее их жизней...»

Бой принимал все более ожесточенный характер. Над позицией пулеметчика, расположившегося рядом с Хусейном, уже просвистело несколько очередей, и ливийские очереди пару раз выбивали каменные фонтанчики в непосредственной близости от самого капитана.

Очень жаль, подумал капитан, меняя магазин, что при подготовке операции отказались от авиационной поддержки. Пара-тройка штурмовиков сейчас оказалась бы как нельзя кстати. Хотя ночью при воздушной атаке они запросто могли попасть ракетами в автомобили с драгоценным грузом, и тогда трофейное золото пришлось бы месяц собирать по всей пустыне...

По всем правилам, роте спецназа следовало немедленно отходить, однако поставленная задача не позволяла суданцам этого сделать. Капитан Али Мохаммед Хусейн попытался связаться по рации с командиром танковой бригады, находившейся на подходе, но ответа не разобрал из-за сильных помех.

...Ливийский командир, и это не вызывало теперь сомнений, проявил себя хладнокровным и грамотным профессионалом. Пока одна часть колонны вела бой со спецназовцами на месте основной засады, а вторая — отстреливалась от группы, которая атаковала колонну во фланг, при входе в сухое русло реки, он успел оттянуть назад, примерно на полтора километра, часть своих сил, чтобы организовать круговую оборону. Здесь, под прикрытием выставленных дозоров, он получил возможность оценить обстановку, оборудовать место эвакуации раненых и пункты боепитания. Посреди импровизированного лагеря под усиленной охраной стояли КамАЗы. Несколько грузовиков «Урал» с тяжелым стрелковым вооружением образовали что-то вроде опорных оборонительных пунктов, вокруг которых спешно окапывалась пехота. Замыкавшая колонну на марше бронетехника: танк, еще одна «Шилка» и два БТР-70 —

теперь образовала ударную группу, которой предстояло идти на выручку к оставшимся в бою подразделениям.

По донесениям, которые получил ливийский командир, противником были уничтожены танк, бронетранспортер, боевая машина пехоты, одна «Шилка», почти все «Уралы» и несколько цистерн с топливом. Число убитых офицеров и солдат доходило до сотни, еще больше получили ранения — однако сведения следовало считать весьма приблизительными. Определить потери среди мирных жителей — в основном это были члены семей военнослужащих и тех, кто активно сотрудничал с правительством Каддафи,— пока вообще не представлялось возможным.

Но и суданцам досталось по полной программе — понесенный урон они могли оценивать значительно точнее, хотя от этого было не легче. Двенадцать убитых, включая командира, почти десяток раненых, из которых по меньшей мере пятеро — тяжело. К тому же у спецназовцев подходили к концу боеприпасы...

Приказ отходить капитан Хусейн получил, когда штурмовое подразделение ливийцев, поддержанное навесным огнем танка, зенитных пушек и минометов, почти не встретив сопротивления, отбросило группу спецназовцев, которая вела бой возле входа в пересохшее речное русло.

Тогда же выяснилось, что еще одно подразделение на двух бронетранспортерах совершает обходной маневр, чтобы оказаться в тылу у суданцев, заблокировать их и перерезать пути к отступлению.

Поэтому решение, которое принял заместитель командира роты, было вполне обоснованным.

«Ну что же,— подумал капитан Али Мохаммед Хусейн, отсоединяя последний пустой магазин автомата.— На все воля Аллаха!»

Умирать ему, как и всем остальным, не хотелось...

* * *

Спрятаться в пустыне тяжело. На то она, собственно, и пустыня.

А вот затеряться в ней вполне возможно.

Потому что пустыня — это не только зыбучий песок и барханы, перегоняемые с места на место обжигающим ветром. Это камни и горные цепи, овраги, зеленые рощицы возле источников, солончаки и дороги, протоптанные за несколько веков многочисленными караванами.

К тому же пустыня Сахара огромна до бесконечности. Так что любой грузовик по сравнению с ней, с точки зрения математики, должен считаться пренебрежимо малой величиной. То есть фактом его существования вполне можно было бы пренебречь — если только сами вы не находитесь в этом чертовом грузовике и не катитесь неизвестно куда с полным кузовом драгоценных металлов...

— Значит, вы полагаете, что колонна обречена?

Вопрос сотрудника российского «торгового представительства» в Хартуме прозвучал по-арабски, почти без акцента. Головной платок, повязанный Оболенским так, как это принято в здешних краях, укрывал почти все его лицо, а темно-серые глаза надежно прятались за дешевыми солнцезащитными очками. В общем, с первого взгляда его вполне можно было принять за местного жителя — поэтому Оболенскому и досталось удобное место в кабине КамАЗа на пассажирском сиденье.

— Ей не дадут добраться до границы. Хотя в любом случае там их встретят военные патрули Чад.

Сидевший за рулем Сулейман сделал очередную затяжку и выпустил в воздух струю сладковатого дыма. Он вел машину без перерыва уже почти шесть часов и под утро едва не заснул от усталости. На все предложения Оболенского остановиться и передохнуть ливиец отвечал отказом — надо было как можно быстрее и дальше убраться из зоны возможного поиска.

— Сколько времени они для нас выиграли?

Колонна транспорта под прикрытием бронетехники покинула авиабазу прошлым вечером, когда еще только начинало темнеть. КамАЗ с охраняемым грузом в это время стоял в одном из ангаров, и ливийской контрразведкой было предпринято все возможное, чтобы никто не узнал, что он там находится. Примерно через час после того, как последний бронетранспортер ливийской армии оставил территорию базы, через ее ворота в кромешную темноту выехала одинокая грузовая автомашина с выключенными фарами. Метров через пятьсот почти слепой езды водитель КамАЗа переключился на ближний свет, и грузовик пошел в сторону, противоположную направлению, в котором двигалась военная колонна.

— Пока будет идти бой...— пожал плечами Сулейман.— Пока враги сообразят, что к чему, пока допросят пленных...

Он еще раз затянулся и выбросил окурок за окно:

— Не знаю. Наверное, до вечера никто нас искать не начнет. Но все равно надо поторопиться.

— На этом строился ваш план?

— Это был не мой план,— усмехнулся ливиец.— Но строился он именно на этом.

— Интересно,— спросил после паузы Оболенский,— а люди в колонне об этом догадываются?

— Я знаю коменданта гарнизона в Маатен-ас-Сарра уже много лет. Мы вместе служили когда-то...— Сулейман повернул руль, объезжая песчаный язык, перегородивший почти половину дороги.— Он отличный офицер. И очень неглупый человек. Конечно же, он все понял...

— А остальные?

— Военнослужащие просто обязаны выполнять приказ своего командира. Тем более что нет высшей доблести и почета, чем погибнуть в бою за своего лидера и за свою страну...

Отвечать на это было нечего, и Оболенский посмотрел на часы. Вот и утро уже наступило...

Однообразный пейзаж за окном дополняла какая-то серая дымка, растворявшая в себе солнечные лучи. Ярко выраженных теней нигде не было, все казалось размазанным, как на плохой фотографии.

— Верблюды,— показал Сулейман куда-то направо.

— Ага,— равнодушно кивнул Оболенский, с трудом разглядев вдалеке от дороги, у самого горизонта, сразу несколько крохотных силуэтов.

Уж чего-чего, а этих одногорбых губастых красавцев с ноздрями-щелочками и ресницами, которым могла бы позавидовать любая топ-модель, он за время работы в Судане насмотрелся предостаточно. Благо, их в стране числилось больше трех миллионов.

— Может быть, снова мираж?

Кстати, и на оптические миражи во время частых командировок в пустыню Оболенский давно уже не реагировал. Возможно, впрочем, происходило это из-за того, что видения ему попадались какие-то не интересные: озеро с пальмами, просто озеро, просто пальмы...

— Нет.

Оболенский пока еще не понимал, какое практическое значение имеет информация Сулеймана.

— Это ведь... дикие верблюды? — Он не сразу, но вспомнил правильное арабское слово.

— Здесь не бывает диких верблюдов.— Ливиец отрицательно покачал головой. И пояснил: — Верблюд слишком дорого стоит.

Значит, сообразил, наконец, Оболенский, где-то рядом с верблюдами должны находиться и люди. А это не есть хорошо...

— Вы думаете, они нас заметили?

— За машиной всегда идет очень большой пыльный шлейф,— объяснил очевидное Сулейман.

— Остановимся?

— Делать остановку все равно придется.— Ливиец показал на стрелку датчика: — Надо заправлять баки. Топлива почти не осталось.

Ничего похожего на обочину здесь не наблюдалось, поэтому он остановил грузовик прямо посредине дороги:

— Вылезаем!

Оболенский подхватил лежащий под ногами автомат, открыл дверь кабины со своей стороны и осторожно спустился на землю. Осмотревшись и не заметив поблизости ничего подозрительного, он прошел вдоль закрытого пыльным брезентом кузова:

— С добрым утром, дорогие товарищи! Начинаем производственную гимнастику...

Подошедший с другой стороны Сулейман уже начал возиться с застежками заднего борта:

— Вы живые? Все в порядке?

— Приехали, что ли? — Первым вылез из кузова Иванов.

— Нет,— разочаровал его Оболенский.— Просто надо заправиться.

— Ну, надо, так надо,— потянулся отставной подполковник.

— Черт... твою мать! — Выбираясь вслед за ним, Коля Проскурин задел локтем обо что-то железное, зашипел и во весь голос выругался.— Далеко еще?

— Не знаю. Пока не понятно.

— А мы вообще-то где?

— Где-где...— нецензурно, но в рифму, отозвался Карцев,— в ней, в родимой...

Откинув брезентовый полог, он осторожно, не выпуская из рук короткоствольный пистолет-пулемет, перебрался наружу и сразу же принялся разминать затекшие конечности.

Вид у всех троих был изрядно помятый и заспанный, но, кажется, вполне боеспособный.

— Помогите, пожалуйста,— попросил по-русски Сулейман.

— Нет проблем.

Оболенский заглянул внутрь покрытого тентом кузова, который был заставлен рядами стандартных двухсотлитровых бочек:

— Какую берем?

— Вот эти две, с краю...

— Хорошо бы не перепутать,— усмехнулся Иванов.

— Нет, точно эти.— Николай Проскурин постучал костяшкой согнутого пальца по металлическому боку ближайшей бочки.

— Ты уже проверял, что ли? — не удержался Карцев.

— Да иди ты...— отмахнулся Николай.

Процедура заправки КамАЗа оказалась достаточно хлопотной, длительной и потребовала определенной смекалки. Бочки с дизельным топливом решили не выгружать — баки машины заполнили прямо из них при помощи длинного резинового шланга, который был припасен Сулейманом.

— Как вы там? — спросил вполголоса Оболенский, когда нехитрая конструкция из сообщающихся емкостей наконец заработала и топливо самотеком полилось в ненасытные баки грузовика.

— Нормально.— Иванов посмотрел на откинутый брезентовый полог.— Мы там себе нормальную лежанку оборудовали. Так, чтобы снаружи не было заметно.

— Не укачало никого?

— Да нет пока. Хотя трясет, конечно, будь здоров.

— Это само собой...— посочувствовал Оболенский.— Все-таки не шоссе.

— Лишь бы бочки с места не поползли. А то, если крепления не выдержат — размажет нас по стеночкам в лепешку. Замучаетесь потом кузов отмывать.

— Вроде нормально грузили. Как положено...— Оболенский еще раз посмотрел под брезент.— Сулейман проверял.

— Ну, тогда я спокоен,— усмехнулся Иванов.

— Вообще-то, в кабине есть одно спальное место...

— Нет, мы же решили.— Иванов отрицательно помотал головой.— Нам лучше вместе.

Он отошел с Оболенским на край дороги:

— Как вообще обстановка? Куда направляемся?

— Пока не говорит,— показал Оболенский глазами на Сулеймана.— Но я так понял, что опять на египетскую границу.

— Скорее бы уже.— Иванов поднял какой-то выбеленный солнцем камешек и с размаху швырнул его в сторону солнца.— А то ведь и к пароходу можно опоздать.

— Не опоздаем,— успокоил его Оболенский. И на всякий случай по-арабски добавил: — Иншалла![1]

...Вооруженные всадники появились из-за барханов, когда Сулейман уже заполнил топливные баки и начал сматывать шланг:

— Крышку завинчивайте, пожалуйста.

— К нам гости, командир,— доложил Проскурин, опуская бинокль.

Вообще-то ему было поручено наблюдение за воздухом. Однако ничего интересного в небе не происходило, и Николай проявил разумную инициативу.

— Приготовиться!

Несколько всадников на верблюдах легко преодолели очередной песчаный холм примерно в километре от дороги и почти сразу же скрылись из поля зре-

---

[1] Здесь: «Если это будет угодно Аллаху» — междометие, используемое мусульманами как знак смирения перед волей Всевышнего. Сопровождает высказывание человека о его планах или событиях, которые должны произойти в будущем.

ния. Однако никаких сомнений быть не могло — направлялись они именно сюда, к одинокому грузовику, замершему посередине пустыни.

— Дождались, твою мать,— проворчал Алексей Карцев, забираясь обратно в кузов.

Вслед за ним через борт перебрался Проскурин, и последним, опустив за собой задний полог, внутрь тента пролез Иванов:

— Быстренько по местам. И давайте без нервов, ребята...

— А чего вы сразу так? Может, они нам просто помощь хотят предложить? — спросил Карцев, осторожно снимая с предохранителя пистолет-пулемет.

— Это вряд ли,— вздохнул Иванов.

Обзор через специально оборудованную прорезь был, конечно же, ограничен — со своего места он мог теперь видеть только то, что происходит справа от кабины. За левую сторону отвечал Алексей, а Проскурин пристроился между бочками, так чтобы постоянно держать под прицелом брезентовый полог.

— Тишина! — Иванов передернул затвор, загоняя патрон в патронник АК-47. Потом на всякий случай дотронулся до пистолета, пригревшегося на теле, под рубахой: — До команды все умерли.

— Есть, товарищ подполковник,— не удержался Проскурин.

Всадники выскочили к автомашине именно там, где их ожидали. Все они, с ног до головы, были одеты почти одинаково, во что-то черное, выцветшее на солнце,— даже лиц было не рассмотреть из-за намотанных на головы темно-серых платков.

Верблюды выглядели значительно наряднее своих хозяев.

Зато сами хозяева были вооружены и считали необходимым это продемонстрировать: каждый из них держал на весу, в руке либо автомат Калашникова, либо американскую автоматическую винтовку М16.

«Пять, шесть, семь...» — пересчитал про себя Иванов непрошеных гостей.

Двое сразу же пропали из его поля зрения — они отделились от остальных, чтобы объехать грузовик слева.

Ладно, ладно, там есть кому о них позаботиться...

Как и было условлено, Оболенский и Сулейман встали перед пассажирской дверью кабины, стараясь не двигаться и держать на виду пустые руки.

Один из всадников — видимо, предводитель — остановился так близко от русского и ливийца, что губастая морда его верблюда почти нависла над их головами.

После того как безоружные люди почтительно ответили на традиционное арабское приветствие, предводитель кочевников опустил автомат и направил его на Оболенского. Потом спросил о чем-то коротко и по-хозяйски. Оболенский ответил.

Ненадолго задумавшись, всадник в черной одежде перевел ствол автомата на Сулеймана и задал следующий вопрос. Сулейман поклонился и произнес в ответ длинную, витиеватую фразу.

Определить, устроило ли предводителя кочевников то, что он услышал, было трудно. Однако он перестал держать Сулеймана под прицелом, слегка повернулся в седле и громко, явно обращаясь уже не к стоящим перед ним людям, выкрикнул какую-то команду.

На его крик отозвался один из тех двоих, которые успели обогнуть машину и теперь находились у заднего борта.

— Ну, начинается...— Иванов сделал выдох и перевел предохранитель в режим одиночной стрельбы. Всадники, надо отметить, расположились очень удобно — почти правильным полукольцом, огибающим Сулеймана и Оболенского.

Ливиец униженно запричитал во весь голос, но могущественный предводитель кочевников только отмахнулся от него и повторил свое распоряжение. Спустя мгновение Иванов услышал за своей спиной недовольное верблюжье фырканье и тяжелый шелест отодвигаемого полога.

В кузове сразу стало светло, но оборачиваться было нельзя, да и некогда.

— А ведь мы вас, дураков, предупреждали...

Прозвучавшая по-русски условная фраза Оболенского послужила для Иванова сигналом открыть огонь на поражение.

Первым делом он убил командира — две пули, выпущенные одна за другой прямо через брезент, попали ему в грудь и в голову. Затем, переводя ствол АК-47 слева направо, он, как на занятиях в тире, поразил остальные мишени.

Благо, вести прицельный огонь в такой ситуации — одно удовольствие, потому что не попасть в четкие, черные силуэты с такого расстояния было почти невозможно.

Впрочем, без некоторых накладок все-таки не обошлось. Один из противников кочевников, как оказалось, не был сразу убит — получив свою пулю в плечо, он выронил оружие, покачнулся, но почти сразу же принял единственно правильное решение. Развернув своего верблюда, он погнал его прочь, подальше от смертельной опасности.

Раздосадованный Иванов приготовился было добить беглеца, но за него это сделал Оболенский. Сотрудник российского «торгового представительства» успел достать откуда-то из-под складок одежды пистолет и разрядил в спину всаднику половину обоймы. Проскакав по инерции еще несколько метров, противник вывалился на песок и никогда уже больше не подавал признаков жизни...

«Оказывается,— подумал Иванов,— с верблюда падают значительно дольше, чем с лошади». А еще он заметил, что верблюды в пустыне, как видно, прекрасно приучены к выстрелам. Даже оставшись без прежних хозяев, ни одно из этих животных не стало без толку метаться, реветь, впадать в панику или ударяться в бега.

— Вроде, все, командир,— раздался в кузове голос Николая Проскурина.

Что происходило все это время сзади за его спиной, Иванов знать не мог: стоявшая перед ним самим боевая задача была слишком ответственной, чтобы отвлекаться на посторонние звуки. И он действительно оказался прав, целиком положившись на опыт и хладнокровие своих людей.

— Ты чего творишь, братан? — Карцев явно был недоволен и не собирался этого скрывать.

— А чего такого? — сделал вид, что не понял, Проскурин.

— Мне оставить не мог?

— Извини...

Очередь в упор в замотанное черной тканью лицо кочевника, откинувшего тент, Николай выпустил практически одновременно с первым выстрелом Иванова. Американский спецназовский пистолет-пулемет, конечно, не был предназначен для долгой войны, однако для ближнего боя он подходил идеально: отправляясь на небеса, убитый не успел даже ни испугаться, ни удивиться. Второй сын пустыни, оказавшийся вместе с ним возле заднего борта грузовика, тоже вряд ли сообразил, что происходит,— вторая короткая очередь Николая настигла его спустя мгновение.

Таким образом, Карцеву стрелять оказалось не в кого, и теперь Алексей чувствовал себя несколько обездоленным.

— Ну, чего ты, Леха... еще настреляемся!

— Да, похоже на то,— Иванов осмотрел через дырку в брезенте поле недавнего боя:

— Эй, ребята, вы как? Все в порядке?

— Все в порядке,— отозвался Сулейман, отряхивая от красноватой пыли испачканные колени.

— Нормально,— подтвердил его слова Оболенский.

Алексей Карцев со вздохом поставил оружие на предохранитель:

— Вылезаем?

— Давай. Надо бы посмотреть, что к чему.

Проскурин, который уже успел оседлать задний борт грузовика, обернулся к товарищам:

— И когда это кончится, командир?

— Радуйся, что для нас уже все прямо здесь не закончилось,— философски ответил ему Иванов, выбираясь из кузова.— Прямо здесь и сейчас...

ЧАСТЬ ВТОРАЯ

ЧАСТЬ ВТОРАЯ

> Хороших друзей нельзя купить,
> но их можно продать.
>
> *Андрей Кивинов*

ГЛАВА 1

Капитан Али Мохаммед Хусейн никаких иллюзий не испытывал. Он прекрасно понимал, что большое начальство примчалось сюда, в приграничный городок Эль-Фашер, вовсе не для того, чтобы выразить ему благодарность.

Еще в самом начале гражданской войны между правительством Муаммара Каддафи и вооруженной оппозицией из города были выдворены сотрудники ливийского консульства, обвиненные в шпионаже и содействии местным сепаратистам. И сейчас именно отсюда, из Эль-Фашера, осуществлялось руководство всеми суданскими вооруженными формированиями, действующими и в провинции Дарфур, и к северу от государственной границы.

Высокий гость из Хартума расположился, разумеется, в кресле начальника местного управления внутренней безопасности:

— Значит, вы их все-таки упустили?

— Интересующего нас груза в колонне не было, господин генерал.

Лицо капитана Хусейна было тщательно выбрито, форма постирана и отглажена, но покрасневшие белки глаз и глубокие складки в уголках губ выдавали, чего ему стоило напряжение последних нескольких суток.

Да уж, если бы не передовые танки суданской бригады, для него и для остатков отдельной роты специального назначения все могло бы закончиться совсем по-другому...

Подкрепление тогда выскочило к пересохшему руслу реки прямо через барханы. Полтора десятка танков атаковали противника с ходу, разрушая огнем своих пушек и гусеницами его боевые порядки, рассеивая пехоту, уничтожая последние очаги сопротивления. Ночной рев мощных двигателей, треск крупнокалиберных пулеметов и пушечные выстрелы дополнялись пронизывающим пустыню светом танковых фар, что окончательно деморализовало ливийских солдат.

Спустя двадцать минут бой практически был закончен. Большинство ливийцев сдалось в плен, и только небольшая часть из них во главе с начальником гарнизона Маатен-ас-Сарра смогла оторваться и отступила куда-то на север, за каменную гряду.

— Почему вы так в этом уверены?

— Потому что я все осмотрел лично, господин генерал. Каждую грузовую машину, каждый автобус, каждый бронетранспортер...

Той ночью, прекратив стрельбу, капитан Хусейн не сразу покинул свое укрытие. В любой момент он был готов опять открыть огонь и еще какое-то время вни-

152

мательно наблюдал за противником — пока не убедился, что никто из ливийцев больше не способен оказать сопротивление. И только после этого спустился вниз.

Прикрывали его пулеметчик и еще двое бойцов из потрепанной роты спецназа, что оказалось вполне разумным решением; к месту, где догорали машины колонны, уже подтянулись суданские пехотинцы, следовавшие вслед за передовой танковой группой.

Вообще-то осматривать местность и захваченный автотранспорт в ночных условиях было не слишком удобно и не безопасно. Однако поставленная перед капитаном задача не оставляла ему возможности выбора. Поэтому, закончив с той частью колонны, которая была уничтожена в русле реки, Хусейн в сопровождении спецназовцев сразу направился дальше, в пустыню — туда, где противник пытался организовать оборону из остатков имевшейся у него живой силы и техники.

Капитан еще не успел преодолеть и половины расстояния, отделявшего место засады от наспех оборудованных и развороченных танками ливийских позиций, как за его спиной послышались беспорядочные автоматные очереди, которые вдруг перекрыл чей-то пронзительный крик. Это прибывшие вслед за армией ополченцы-кочевники начали расправляться с чернокожими женщинами и детьми, выжившими после обстрела автобусов.

— Насколько мне известно, часть ливийской колонны отошла после боя в пустыню?

— Там тоже не было того, что нас интересует, господин генерал.

— И в этом вы тоже, насколько я понимаю, совершенно уверены?

— Да, господин генерал. Потому что я сам после этого, утром, вылетал с вертолетным десантом на то место, где наша авиация уничтожила последние остатки колонны. Мы проверили и зачистили все вокруг места боя...— Капитан Хусейн чуть прикрыл глаза, словно еще раз припоминая увиденное: — Ливийцы отступали без техники. В пешем порядке. И только поэтому было получено разрешение — применить против них авиацию. До этого, как и было приказано, пришлось действовать без поддержки с воздуха, чтобы не повредить груз.

— Мне это известно,— кивнул человек, расположившийся в кресле хозяина кабинета. Присесть капитану Хусейну он так и не предложил.

— Из-за отсутствия достаточной огневой поддержки рота специального назначения понесла очень большие потери.

— Да проявит господь милосердие и упокоит их с миром [1]...— без особого выражения произнес генерал.— Вы хотите мне сообщить еще что-то?

— Господин генерал, один из пленных ливийцев, которого удалось допросить, сообщил, что в тот день, когда гарнизону приказали покинуть базу Маатенас-Сарра, он точно знает — в одном из ангаров, под номером три, оставался грузовик и какие-то люди. Людей этих он раньше на авиабазе не видел. А потом, за несколько часов до выхода колонны, ангар этот заперли и доступа туда ни у кого не было.

---

[1] Арабское выражение, которое предписывается произносить при упоминании об умерших.

— Что думаете по этому поводу? — То, что сказал Али Мохаммед Хусейн, явно не оставило генерала равнодушным.

— Полагаю, что они специально отправили войсковую колонну, чтобы отвлечь наше внимание. Груз какое-то время находился в ангаре, после чего ливийцы без лишнего шума вывезли его с территории авиабазы.

— Куда? — Генерал посмотрел на карту, висящую в кабинете.

— В сторону границы с Чадом им двигаться не логично — как раз туда и направлялась колонна. На восток, в Египет,— тоже слишком рискованно, потому что вся эта часть Ливии, включая оазис Куфра, занята сейчас нашими войсками. Северо-восток страны контролируется повстанцами, так что путь туда тоже закрыт. Конечно, груз могли вернуть назад,— предположил капитан Хусейн, однако тут же опроверг собственные слова: — Но для этого не стоило жертвовать таким количеством людей и бронетехники. Поэтому, скорее всего, ливийцы попытаются переправить свой груз к нам, в Судан.

— Да, пожалуй...

Суданское правительство никогда полностью не контролировало приграничные с Ливией территории, и сепаратисты в северной провинции Дарфур без особых проблем перемещали из Ливии и обратно все, что им было необходимо: оружие, боеприпасы, боевиков и амуницию...

При этом конечными либо начальными пунктами этих нелегальных перевозок служили поселения местных жителей в западной части провинции, в непосредственной близости от чадской границы, на берегах реки Вади Ховар. Во всех этих населенных пунктах присутствие боевиков из так называемого Движения «Справедливость и Равенство» (ДСР) было постоянным, несмотря на карательные операции суданской армии и активную деятельность контрразведки. Сепаратисты, прекрасно зная местность и располагая достаточным количеством транспортных средств, имели возможность осуществлять почти бесперебойное функционирование своих «окон» и «коридоров».

Вооруженные столкновения в Ливии между сторонниками и противниками Муаммара Каддафи еще больше ухудшили ситуацию. Часть сепаратистов из ДСР пополнила ряды ливийских правительственных войск, повысив этим уровень своей боеготовности и занявшись освоением новых видов артиллерийских, зенитных и противотанковых систем. В свою очередь, покинувшие соседнюю страну во время беспорядков суданцы влились в ряды местных боевиков, увеличив их настолько, что это уже начало угрожать безопасности суданских нефтяных месторождений в Северном Дарфуре.

К тому же спецслужбы Судана располагали достаточно достоверными сведениями о том, что в случае отступления из Триполи полковник Каддафи намерен перебраться на юг страны, рассчитывая на поддержку местных племен и содействие все того же ДСР.

— Благодарите Аллаха, что пока обошлось без огласки.— Генерал, не вставая из кресла, протянул своему подчиненному распечатку.— Читаете по-английски?

— Да, немного.— Полученного в офицерском училище образования вполне хватило для того, чтобы Али Мохаммед Хусейн смог понять общий смысл сообщения, которое передало по своим каналам информационное агентство Associated Press.

«Ливийские повстанцы столкнулись с суданскими наемниками, воюющими на стороне Муаммара Каддафи, вблизи границы с Суданом»,— гласил выделенный жирным шрифтом заголовок.

Далее следовал текст, занимавший всего несколько строчек:

«Командир ливийских повстанцев, действующих на юго-востоке Ливии, Ахмед Зуай, заявил, что им удалось уничтожить автомобиль с оружием, принадлежащий суданским наемникам во время боевого столкновения в 30 километрах к юго-западу от оазиса Куфра.

По его словам, повстанцы попытались захватить еще шесть таких транспортных средств, нагруженных тяжелыми видами оружия. Ахмед Зуай сообщил также, что в столкновениях, произошедших ранее, попавшие в плен суданцы сообщили, что они принадлежат дарфурскому движению „Справедливость и Равенство“...»

— Ищите золото Каддафи, капитан! — Генерал поднялся из-за стола, показывая, что разговор на сегодня закончен.— Ищите и молите Аллаха, чтобы вас не опередили.

— Вы имеете в виду вооруженные силы Чад? Или повстанцев из Бенгази?

— Вам пока вовсе не обязательно знать, кого я имею в виду...— уклонился от объяснения генерал: — Свободны! Можете идти.

На прощание он все-таки протянул капитану руку. И это вполне можно было считать добрым знаком...

* * *

Вода в пустыне — это жизнь.

Вокруг даже самого крохотного, почти незаметного источника воды здесь неизменно возникает человеческое поселение со своим скудным бытом, нехитрым укладом, традициями и обычаями.

Коля Проскурин приоткрыл один глаз и лениво поинтересовался:

— Интересно, Петрович, куда это они погнали наших верблюдов?

— Продавать, наверное,— предположил в ответ Карцев, переворачиваясь на другой бок.

— Жаль,— вздохнул Николай.

— Понимаю. Тем более что у тебя ведь, по-моему, верблюдица была?

— Ну, да.

— Так может, вас с ней что-то личное связывает? Ты скажи, не стесняйся. Здесь все свои.

— Да пошел ты! Достал уже...

— А чего? Симпатичная такая верблюдица — большие губы, ноги длинные...

— Между прочим,— вмешался в разговор Иванов. Не совсем по существу вмешался, но очень вовремя, не давая разгореться перепалке.— Между прочим, верблюды прекрасно умеют плавать.

— И где это они, интересно, здесь плавают? — не поверил Алексей Карцев.

— Я не сказал — плавают. Я сказал — умеют плавать.

— Мало ли что...

— А я как-то, еще в армии, в командировке был. В Астраханской области, город Ахтубинск,— припомнил Проскурин.— Так вот, там на площади памятник стоит двум верблюдам — Машке и Мишке.

— Серьезно? Или шутишь? — не поверил Иванов.

— Зуб даю, командир! Оказывается, эти верблюды в Великую Отечественную войну служили в артиллерийском боевом расчете.

— Наводчиками? — не удержался Карцев.— Или заряжающими?

— Заткнись, Петрович.

— Они пушку за собой тянули до Берлина через всю Европу,— пропустил Николай мимо ушей очередную колкость.— И пушка эта, между прочим, дала один из первых залпов по немецкой Рейхсканцелярии.

— Надо же...

Нельзя сказать, что в деревенском доме, который был отведен гостям для отдыха, царила живительная прохлада. Однако стены из сырцового кирпича и плоская глинобитная крыша все-таки защищали от зноя. Кровати и прочие мебельные излишества заменял домотканый ковер, служивший также и обеденным столом, на котором стояла использованная посуда, миска из-под каши, кувшин с остатками кислого козьего молока и огромное блюдо не доеденных фиников.

Теперь первым нарушил молчание Карцев.

— А вот я бы душ сейчас принял. Холодненький. Можно даже без мыла,— мечтательным голосом произнес он.

— Да уж, конечно, Петрович, пованивает от тебя,— мстительно подтвердил Николай.

— Хватит, парни! — Иванов опять посчитал, что необходимо вмешаться.— Благодарите Аллаха, что хотя бы просто умыться дали.

— Вот доберусь до гостиницы, и первым делом...

«Интересно бы знать,— подумал Иванов,— когда и как мы туда теперь доберемся. И доберемся ли вообще куда-нибудь...»

В деревне, спрятавшейся среди барханов, они оказались перед самым рассветом. И первым делом Михаилу Анатольевичу бросилось в глаза, что охрана тут поставлена весьма профессионально.

Колючей проволоки и противотанковых надолбов, конечно, не наблюдалось. Однако сплошная, хотя и не слишком высокая каменная стена, почти сливающаяся по цвету с песками пустыни, окружала поселение со всех сторон — так, чтобы через специально приспособленные бойницы можно было просматривать и простреливать все подходы. Поперек дороги при въезде в деревню лежало два самодельных бетонных блока. Не хватало разве что традиционного минарета, на котором обычно оборудуют наблюдательный пункт.

— Мечети здесь, в принципе, нет,— объяснил Оболенский соотечественникам.— Местные жители в основном — не мусульмане, у них свои какие-то старые верования...

Местные жители оказались как на подбор очень смуглыми, почти чернокожими. Во всяком случае, те, кто вышел встречать ранних и, судя по всему, нежданных гостей на деревенский КПП. Трое юношей и мужчина постарше, одетые в просторные, длинные белые рубахи, не выпуская из рук автоматов Калашникова, в настороженном молчании рассматривали и сам грузовик, и трофейных верблюдов, которых было решено увести за собой после стычки с кочевниками.

— Как бы стрелять не начали с перепугу.

Однако обошлось. Пока Сулейман о чем-то разговаривал с вооруженными людьми на контрольно-пропускном пункте, Оболенский успел даже вкратце пересказать своим спутникам то, что узнал по пути от ливийца.

По его словам, жители этой деревни принадлежат к оседлым представителям народности загава, поддерживают своих суданских соплеменников, сражающихся против правительства, находятся на стороне полковника Каддафи и постоянно воюют с кочевниками-бедуинами.

Мужская половина населения деревни занимается отгонным скотоводством — держит в основном овец и коз. Женщины заняты помимо домашних забот земледелием — выращивают овощи, пшеницу, ячмень и финиковые пальмы.

В этом, собственно, по словам Оболенского, и заключалась причина конфликта оседлых загава с соседями — кочевниками из племени ризегат, то и дело пытавшимися проникнуть в Ливию из Судана. Первые столкновения между ними произошли во время тяжелых засух, в восьмидесятых и девяностых годах, когда ризегат, не признающие границ и права собственности на землю, попытались гнать свои стада через пастбища и наделы загава, однако получили отпор. Поэтому, спустя десятилетие, во время беспорядков в суданском Дарфуре воины именно этого племени составили основную силу ополчения «Джанджавит». При поддержке властей они развязали против дарфурских загава настоящий массовый террор — да такой, что счет убитым, раненым, замученным пытками и изнасилованным мирным жителям пошел на десятки тысяч. Еще некоторое время назад насилие редко выплескивалось на ливийскую территорию — режим Муаммара Каддафи имел в своем распоряжении достаточно сил и желания, чтобы защитить своих граждан. Но с началом восстания на востоке страны контролировать этот район стало некому, и деревни оседлых загава перешли на осадное положение...

Судя по тому, что спустя приблизительно полчаса их все-таки пропустили в деревню, Сулейману удалось о чем-то договориться с местными ополченцами. Правда, для этого потребовалось появление какого-то пожилого мужчины с седой бородой — видимо, одного из старейшин. Как бы то ни было, гостям позволили вместе с грузовиком и верблюдами пересечь контрольно-пропускной пункт, предоставили крышу над головой и даже принесли поесть.

— Ты зачем убил моих людей, Саид? — суровый голос Николая выдернул Иванова из полудремы.

— Стреляли...

«Интересно,— подумал Михаил Анатольевич,— нынешняя молодежь хотя бы представляет себе, из какого это кинофильма?»

— Все в порядке? — спросил он, открывая глаза.

— Пока вроде тихо,— ответил Оболенский, опускаясь на расстеленный ковер.

Вчера в стычке с кочевниками он проявил себя молодцом. Не струсил, не растерялся. И не промазал. Нет, все-таки хорошо у нас военных переводчиков готовят...

— А где товарищ Сулейман?

— Занимается бизнесом.— Оболенский вытянул ноги и взял с блюда несколько фиников.

— Хочется верить, что речь не идет о нашем грузе.

— Нет. Сулейман всего лишь продает местным жителям наших верблюдов.

— Я так и знал! — печально отозвался Николай Проскурин.

— Мне, между прочим, тоже доля причитается,— напомнил Карцев.

— Тебе-то за что, Петрович?

— Как это, за что? Ты слышал, командир? Как это, елки зеленые, за что?

— А местные жители не боятся, что этих верблюдов узнают друзья или родственники бывших хозяев? — поинтересовался Иванов.

— Нет, они не боятся.— Оболенский покачал головой.— Тут, в пустыне, законы свои, так что...

— Делить выручку будем честно и по справедливости,— вернулся Карцев к разговору о деньгах.

— Делить будет нечего,— разочаровал его Оболенский.

— Как это нечего?

— Бартер,— загадочно и коротко ответил переводчик.

Что именно он имел в виду, стало понятно, только когда вернулся Сулейман.

— Сегодня мы поедем дальше,— сообщил он своим русским спутникам.

Выбрав место подальше от входа, у самой стены, ливиец прислонился к ней спиной и почти сполз прямо на глиняный пол. Только теперь стало ясно, что за прошедшие ночи и дни ему досталось значительно больше, чем всем остальным. Ели бы не сигареты с запретной травой, сладковатый дым от которых сопровождал их теперь почти неизменно, он не выдержал бы многочасовые перегоны за рулем — по бездорожью, в темноте и в постоянном напряжении. Поэтому, наверное, никто и не стал донимать человека вопросами, куда и каким образом предстоит выдвигаться.

— Тебе надо поспать, Сулейман.

— Да, сейчас...— Ливиец протянул руку и выложил на ковер перед Оболенским небольшой тряпичный сверток.— Это новые документы. Я их выменял на верблюдов, только пришлось еще немного доплатить. Американскими долларами...

Видно было, что каждое новое слово по-русски дается ливийцу с трудом. В конце концов, он перевел усталый взгляд на Оболенского и заговорил на родном языке:

— Но за это они нам дадут еще старый джип. Я его посмотрел. Джип, конечно, разваливается на ходу, но другого приличного транспорта у них нет. Только ослики...

Сулейман собрался с силами и продолжил:

— Нужно будет не забыть пустые бочки. И машины раскрасить. Они все должны принести...

После этого ливиец закрыл глаза и провалился в глубокий сон.

— Ну, чего он сказал, господин переводчик? — полюбопытствовал Алексей Карцев первым после непродолжительной паузы.

— Что там за документы? — почти одновременно с ним спросил Коля Проскурин, показывая на сверток.

— Сулейман говорил, что теперь мы поедем на двух машинах. То есть у нас появляется какой-то джип. Очень старый автомобиль — но вроде бы на ходу. А еще говорил про какие-то пустые бочки, про какие-то украшения...— Оболенский взял в руки сверток и начал разматывать грубую ткань: — Ого, нет, ну надо же! Все-таки у него получилось.

Сверху в свертке лежали четыре паспорта.

— Синьор Джованни Ортолани,— торжественно, хотя и вполголоса, провозгласил Оболенский,— гражданин солнечной Италии...

Он осмотрел всех собравшихся долгим взглядом и остановился на Иванове:

— Это будешь, наверное, ты. Поздравляю!

— Спасибо.— Иванов сразу принялся изучать документ.

— Синьор Себастьяно Маринео...— продолжил Оболенский.— Прошу!

— Ага,— поблагодарил переводчика Карцев.— Слушай, но тут фотография не моя?

— А откуда тут взяться твоей фотографии? — вполне резонно парировал Оболенский.

— Почему я тогда Маринео?

— Потому что на Ортолани ты не похож абсолютно.

— А на этого типа я похож, что ли?

— Ну, в какой-то степени,— пожал плечами Оболенский.

— Ладно тебе, Петрович, выделываться,— посмотрел через плечо приятеля Проскурин.— Думаю, что для местных арабов мы все, европейцы, на одно лицо. Как китайцы для нас.

— Да уж, будем надеяться,— недоверчиво покачал головой Иванов.

— Николай,— обратился к Проскурину переводчик.— Николай, ну, а мы с тобой теперь получаемся египтянами.

И действительно, два других удостоверения личности выглядели по-другому, чем итальянские паспорта.

— Египтянами? — отчего-то обиделся Николай.

— В общем, это логично, по-моему. Я могу как-никак говорить по-арабски. А у тебя все-таки волосы черные, да и нос...

— Чего это — мой нос?

— Длинный нос,— с серьезным видом подтвердил Карцев.— Просто, прямо египетский...

— Нормальный у меня нос!

— К тому же других вариантов пока не предвидится,— подвел итог острой дискуссии Оболенский, протягивая Николаю последний из паспортов.

— Да ты чего, Коля? Ты чего? — похлопал Карцев приятеля по плечу.— Радоваться надо, что тебе египтянином надо быть, а не египтянкой, к примеру. Хотя, наверное, хиджаб[1] к твоему небритому личику вряд ли подойдет. Разве что паранджа...

— Между прочим, паранджа — это вовсе не то, что ты думаешь,— заметил Оболенский.— Не надо путать ее с никабом. А паранджа — такое широкое одеяние с длинными рукавами, которое накидывается на голову и закрывает всю фигуру от макушки до пят.

---

[1] *Хиджаб* (*араб.*— покрывало) в исламе — любая одежда, однако на Западе под этим понимают традиционный исламский женский головной платок. ·

— Понял, профессор,— развел руками Карцев.— А вот, кстати, местная женщина тут заходила, еду принесла. Обратили внимание?

— Ну допустим.

— Да я читал где-то, что в некоторых слаборазвитых племенах существует обычай, чтобы хозяин дорогим гостям предоставлял свою жену на ночь... Не слышали? Здесь, в Сахаре, случайно такое не практикуется?

— Нет, не слышал.

— Слушай, Петрович, имейте же совесть,— попросил Иванов.— А то, что ни разговор, на любую тему — так ты все равно, в конце концов, его на баб переведешь.

— Нет, командир, я ведь просто культурой народов мира интересуюсь. Чисто теоретически!

— Как бы нас тут практически не поимели,— вздохнул Иванов и обратился к Оболенскому: — Ладно, это понятно — паспорта, фотографии, все такое... Но я же на итальянском языке, кроме «чао, бамбина» и «паста карбонара», ни слова не знаю.

— Арабы здесь тоже, как правило, по-итальянски не очень разговаривают,— успокоил его Оболенский.— Но вот для этого у иностранных специалистов и есть переводчик. В моем лице.

— Авантюра,— позволил себе оценить положение дел Иванов.

— Да кто бы спорил? — Вообще-то, на протяжении тридцати лет, до середины Второй мировой войны, большая часть Ливии была именно итальянской колонией. Поэтому Оболенский опять занялся содержимым тряпичного свертка: — Так, вот оно... да, точно, все правильно.

Он аккуратно, один за другим, выложил на ковер несколько листов бумаги с отпечатанным на компьютере текстом. Некоторые из документов оказались на арабском языке, некоторые, как можно было догадаться,— на итальянском. При этом каждый из них украшали печати с гербом Джамахирии, а также стилизованное изображение некоего странного существа.

— Это что еще за чудо?

— Логотип итальянской компании Eni S. p. A.,— пояснил Оболенский, пробегаясь глазами по строчкам арабского перевода.— Шестиногая огнедышащая собака.

— Прости, Господи...— перекрестился Иванов.

— Число шесть, по официальной версии, символизирует объединение четырёх колес автомобиля с двумя ногам водителя. Так сказать, пламенный союз человека и техники... Прекрасно! Вон, даже собственноручные подписи главного управляющего господина Скарони имеются.

— Извините, профессор, за беспокойство,— очень вкрадчиво подал голос Проскурин.— Я надеюсь, мы вам не очень мешаем?

— А то вы тут сами с собой тихо радуетесь чему-то...— поддержал его Карцев.

— Может быть, все же следует поделиться своими открытиями с народом?

Оболенский сделал вид, что не на шутку задумался:

— Да, пожалуй. Попробую объяснить кое-что для неподготовленной аудитории...

---

[1] *Eni S. p. A. (Ente Nazionale Idrocarburi* — «Государственное нефтепромышленное объединение»). Итальянская нефтяная и газовая компания со штаб-квартирой в Риме, основана в 1953 году итальянским правительством, в настоящее время частично приватизирована.

* * *

У каждого большого начальника есть свой начальник, который еще больше.

Поэтому, услышав голос на другом конце закрытой телефонной линии, французский военный
атташе в Судане едва не вытянулся по стойке
«смирно».

— Говорите, полковник.

— Добрый день, господин министр.

Кажется, невидимый собеседник поморщился:

— Доброе утро... докладывайте!

— Нам пока не удалось выполнить поставленную
задачу.

— Это я уже знаю. Хотелось бы услышать подробности.

— Наши люди прибыли на место уже после боевого столкновения между ливийцами и специальным
подразделением суданской армии.

— Почему?

Полковник никогда не был трусом, но, для того
чтобы ответить на вопрос, ему потребовалось собрать в кулак почти все свое мужество:

— Господин министр, возможно, это была моя
ошибка. Диверсионная группа оказалась в районе
авиабазы точно в назначенное время, раньше всех
остальных... союзников. Однако были получены сведения от воздушной разведки, что база покинута и
ливийцы начали перемещение груза в сторону границы с Республикой Чад. Поэтому мною был отдан
приказ — не тратить время на осмотр базы, а безотла-
гательно направить все силы для перехвата интересующего нас груза в пути.

Полковник перевел дыхание:

— Наши люди должны были успеть сделать это первыми. Но мы не ожидали, что суданцы так быстро и так далеко продвинутся на север...

— Вы полагаете,— перебил его собеседник, который, по-видимому, уже располагал определенной информацией по этому поводу,— они не случайно натолкнулись посреди пустыни на ливийскую колонну?

— К сожалению, это так. Характер боя указывает на то, что нападение осуществлялось целенаправленно и было очень тщательно подготовлено. Сначала суданцы выбросили десант и организовали засаду на пути колонны, а потом уже добивали ее превосходящими силами бронетехники и пехоты.

— Таким образом, у них уже были какие-то сведения о характере груза?

· — Вероятнее всего, господин министр. Во всяком случае, этого исключить нельзя.

Прежде чем задать следующий вопрос, человек на другом конце телефонной линии сделал паузу:

— Значит, золото Каддафи все-таки захватили суданцы? Прямо у нас из-под носа...

— Нет, господин министр,— поторопился ответить полковник.— Они его тоже не обнаружили.

— Не обнаружили? Вы уверены?

— Абсолютно,— кивнул военный атташе, как будто собеседник мог его увидеть.— Более того, имеются все основания полагать, что никакого золота там вообще не было.

— А где же оно?

— Пока не известно. По сообщениям моих агентурных источников, в последний раз интересующий нас груз видели на авиабазе за несколько часов до выхода колонны.

— Но это точно был тот самый груз?

— Описание совпадает, господин министр. Стандартные металлические бочки емкостью двести литров, без маркировки, размещенные в кузове армейского грузовика.— Полковник сейчас говорил уже намного увереннее, чем в начале беседы: — Несомненно, ливийцы специально предприняли отвлекающий маневр и пожертвовали своими людьми, чтобы незаметно вывести машину с золотом с территории авиабазы.

— А вы поддались на эту уловку...

— Это моя вина, господин министр,— уже намного решительнее ответил военный атташе.

— Где сейчас наша группа спецназа?

— Осуществляет поиск и преследование. Нами задействованы все контакты: в правительстве, в спецслужбах, среди представителей местного населения.

Несколько мгновений парижский собеседник молчал. Потом задал совершенно неожиданный вопрос:

— Скажите, вы в Бога верите?

— Вообще-то я атеист...— Полковник даже не сразу сообразил, что в такой ситуации следовало ответить.— Но я происхожу из католической семьи...

— Так вот, молитесь, кому хотите, чтобы ливийское золото от вас не ускользнуло.

Полковнику показалось, что парижский собеседник собирается закончить разговор:

— Господин министр, прошу прощения...

— Что такое?

— Есть еще одно обстоятельство, которое я считаю необходимым довести до вашего сведения. В этой истории оказались замешаны русские.

— Полковник?

— Господин министр, для сопровождения груза, который нас интересует, ливийцы наняли частных охранников из России.

— Только этого не хватало! Причем тут русские?

— Первоначально они должны были сопровождать только торговое судно, на котором планировалось вывезти золото за пределы Судана. Это довольно распространенная практика, в связи с нападениями сомалийских морских пиратов. Но по последним сведениям, полученным от моего человека в местной контрразведке, ливийцы привлекли их и к охране груза на сухопутном участке маршрута.

— Вот, дерьмо! — очень просто и совсем по-солдатски высказался министр.

Военный атташе был с ним абсолютно согласен, однако вслух произнес:

— Информация поступила из источника, заслуживающего доверия.

— Сколько их, этих русских?

— Мы располагаем данными троих частных охранников, прилетевших в Судан по контракту с судовладельцем. Очевидно, все они имеют специальную подготовку.

— Что известно еще?

— Достоверно известно только то, что интересующий нас груз должен был покинуть Порт-Судан на теплоходе «Профессор Пименов».

— Судя по названию, это российское судно?

— Нет, господин министр. Последние восемь лет оно ходит под либерийским флагом. Владелец зарегистрирован на Мальте, команда состоит из граждан нескольких стран.

— Достоверно известно...— повторил собеседник слова военного атташе.— Значит, русские попытаются любым способом доставить груз именно на это судно?

— Да, вероятнее всего.

— А почему бы не позволить им это сделать, полковник?

— Простите, господин министр?

Но большие начальники — они потому и большие, что самые светлые мысли приходят именно в их головы:

— Пусть наши героические спецназовцы продолжают свою охоту. Если им посчастливится — просто великолепно! А вот если добыча опять ускользнет — что же, тогда мы встретим ее прямо там, куда она так стремится.

Военному атташе было крайне неловко перебивать полет фантазии собеседника, однако сделать это все-таки пришлось:

— Есть еще одно неприятное обстоятельство...

— В чем на этот раз дело, полковник? — с явным неудовольствием уточнил министр.

— Судно, на которое ливийцы намерены погрузить золото, может вообще никогда не попасть в Порт-Судан. В настоящее время оно захвачено сомалийскими пиратами. Насколько мне известно, и само судно, и его экипаж находятся в Пунтленде, на одной из основных пиратских баз.

Вопреки опасениям атташе, его парижский собеседник справился с собой довольно быстро:

— Вы не перестаете меня удивлять, полковник... Пираты уже начали переговоры?

— Да, господин министр, по нашим сведениям судовладелец получил предложение о выкупе.

— Кто выступает посредником?

— Как обычно, английская страховая компания. У меня есть название и координаты...

— К черту сейчас подробности! Пришлете мне все это в письменном виде.

Предки министра происходили откуда-то с северо-запада Франции, и при достижении своих целей он неизменно проявлял поистине бретонское упрямство:

— Сколько просят за судно и груз эти чертовы сомалийцы?

— Пять миллионов долларов.

— А на какую сумму согласятся, как вы полагаете?

— Я думаю, на полтора или на два миллиона. Вообще-то размеры выкупов, выплачиваемых пиратам, никогда не разглашаются. Однако по мнению специалистов...

— Ну, так надо им заплатить! И чем скорее, тем будет лучше.

— Но, господин министр...

— Это не ваша проблема, полковник. Я сейчас же дам соответствующие указания военным атташе в Лондоне и на Мальте.— Полковнику показалось, что он слышит стремительный бег дорогого «Монблана», делающего пометку в министерском блокноте: — Слушайте, вы хотя бы представляете себе, сколько золота спрятано в этих бочках?

— Приблизительно восемь тонн.

— Между прочим, полковник, при нынешних ценах оно должно стоить не меньше чем пятьсот миллионов долларов...

ГЛАВА 2

Что бы там ни писали поэты-романтики, никакие следы на песке не исчезают мгновенно.

Особенно если не было ветра или дождя.

Командир специального подразделения Группы вмешательства французской жандармерии перекатил на ладони несколько аккуратных латунных цилиндров:

— Ну, и что вы по этому поводу скажете?

— Гильзы от унитарного патрона «девять на девятнадцать» парабеллум,— доложил как на экзамене молодой лейтенант.— Судя по маркировке, патроны российского производства. Отстреляны, скорее всего, из пистолета. С одной позиции.

— Значит, все-таки русские...

— Это плохо?

— В любом случае, это не хорошо. Трупы двигали?

— Нет,— отрицательно помотал головой лейтенант.

— И не надо.

Под любым из убитых арабов вполне могла оказаться ручная граната со снятой чекой. Так бывало в Афганистане, да и сам он так делал когда-то...

— Огневой контакт произошел не более двенадцати часов назад.

Командир кивнул — да, следы вокруг еще неплохо сохранились. И к тому же до человеческой падали, брошенной посередине пустыни, пока не успели добраться шакалы или стервятники.

— Значит, мы, в конце концов, вышли на правильный след.

Командир еще раз осмотрелся вокруг. Отпечатки протекторов грузовика особенно хорошо видны были там, где машина остановилась, а потом пошла дальше. Очевидно, водитель и пассажиры успели заметить приближение всадников, появившихся... да, правильно, с той стороны, из-за песчаных барханов.

Так, отсюда стреляли из пистолета. А вот еще один четкий след — кто-то спрыгнул в армейских ботинках из кузова...

— Как, по-вашему, сколько их было?

Лейтенант сразу понял, о чем идет речь:

— Полагаю, не меньше чем двое.

Да уж, точно. Один стрелок, даже самый великолепный, никак не смог бы одновременно поразить сразу семерых противников. Часть из которых к тому же находилась вне его зоны видимости.

Все-таки мы живем в реальном мире, а не в голливудском кино про Дикий Запад.

— А верблюдов они, как я понимаю, забрали с собой.

— Кроме того, который убежал в пустыню.— Лейтенант показал рукой на труп кочевника, лежавший

несколько поодаль от других.— А вот его хозяину не повезло. Не успел...

— Зачем им понадобились верблюды?

— Трофей? — пожал плечами лейтенант.

— Нет, не думаю. Кстати, как вы полагаете, лейтенант, отчего мы больше не нашли ни одной стреляной гильзы?

— Наверное, они их подобрали.

— Вряд ли, мой друг. Вряд ли. Иначе они и вот это бы нам не оставили.— Командир подразделения французского элитного спецназа опять раскрыл ладонь, на которой лежали одинаковые металлические цилиндры: — Все намного проще. Второй стрелок или даже стрелки вели огонь из ограниченного пространства. Прямо из кузова — через замаскированную бойницу или через брезентовый тент. Поэтому все остальные гильзы просто-напросто остались внутри.

— Профессионалы,— вздохнул с уважением молодой офицер.

— Ладно, друг мой, мы ведь тоже не из пансиона для девочек.— Командир ободряюще подмигнул и поинтересовался: — Как, ребята, готовы двигаться дальше?

— Да, все готовы,— подтянулся лейтенант.

— Тогда выступаем через...— Командир посмотрел на циферблат своих часов.— Выступаем ровно через двенадцать минут. А пока позовите ко мне оператора связи.

...Разговор с военным атташе в Хартуме получился на этот раз очень коротким.

— Мы нашли их следы.

— Вы уверены? — Голос у полковника был такой, будто он давно уже не получал хороших вестей и уже не надеялся услышать их когда-нибудь.— Это точно они?

— Пока все совпадает с ориентировкой. Один тяжелый грузовик армейского образца в сопровождении группы из нескольких русских профессионалов.

— Сведения получены от местных жителей? Они еще кому-то их успели сообщить?

Спецназовец обвел взглядом неподвижные тела кочевников на песке:

— Нет, не беспокойтесь. Насколько я понимаю, местные жители ничего никому сообщить не успели.

— Это хорошо...— немного оживился полковник.— Где вы их обнаружили?

Координаты в сетке GPS наверняка уже высветились на мониторе военного атташе, однако спецназовец повторил их еще раз.

— Скорее всего, грузовик сейчас двигается отсюда по грунтовой дороге на север или на северо-восток...

— Я немедленно запрошу фотоснимки района. Вам какая-то помощь нужна? Может быть, питьевая вода, продовольствие, топливо?

— Нет. Наверное, нет...— прикинул командир подразделения.

Все равно вертолеты поддержки из временной базы на территории Чад в эту точку бы не долетели. Да и «светить» французское военное присутствие в Ливии без особой необходимости никому из участников операции не хотелось.

— Очень хорошо. Продолжайте преследование. И удачи вам, ребята...

— Командир! — Лейтенант по привычке метнул руку к несуществующему козырьку. Сразу стало понятно, что появился он вовсе не для того, чтобы доложить о готовности группы к выходу.

— Что случилось?

— У нас, видимо, гости. Вон там, на дороге...

Командир обернулся в ту сторону, куда показывал молодой офицер. Потом расстегнул кнопку футляра, достал бинокль и поднес его к глазам:

— Объявляйте тревогу. Занять оборону!

По единственной в этих местах автомобильной дороге к французским позициям приближалось несколько бронетранспортеров, раскрашенных в цвет пустыни. Из-за пыльного облака, растянувшегося вслед за колонной, определить точно, сколько их всего, и разглядеть опознавательные знаки на бортах невозможно было даже через специальную оптику.

— Командир, посмотрите направо!

— Только этого еще не хватало.

Из-за гряды серых скал прямо через барханы в их направлении выдвигался на полном скаку отряд кочевников на верблюдах и лошадях. Вооруженных всадников, как это было здесь принято, сопровождали джипы с крупнокалиберными пулеметами, стволы которых были угрожающе направлены на французов.

— Лейтенант, распределите своих людей по секторам. Оператор! Связь, быстро, немедленно...

В довершение неприятностей, над ливийской пустыней повис нарастающий рев прилетевших откуда-то с севера реактивных штурмовиков...

* * *

Некоторые иностранцы по привычке все еще называют независимое прибрежное государство Пунтленд сомалийской провинцией. С формальной точки зрения это действительно так — сначала Пунтленд объявил о своём полном суверенитете, но через некоторое время согласился на статус некоего «автономного региона».

Как бы то ни было, для населения Пунтленда рыболовство является очень важным источником существования. Сезон вылова рыбы длится восемь месяцев и обеспечивает работой несколько тысяч человек. В прибрежных водах добываются тунец, макрель, много других видов рыбы, а также моллюски и лобстеры. Для обработки рыбной продукции, которая идет на экспорт, в прибрежных населенных пунктах построено несколько фабрик, выпускающих консервы и глубокозамороженные рыбные полуфабрикаты...

Однако никакой рыбный промысел не сравнится в рентабельности с морским разбоем.

Как известно, в территориальных водах бывшего Сомали действует около двух десятков пиратских бригад. Большинство их состоит, как правило, из нескольких членов экипажа пиратского катера и трех-четырех человек, обеспечивающих его обслуживание на берегу.

Впрочем, есть и более крупные пиратские формирования.

Например, «Морские пехотинцы Сомали», или Стражи сомалийских вод,— самая эффективная банда разбойников, организованная по военному образцу, во главе с адмиралом и способная атаковать суда далеко в океане. Главные ее базы — порты Харадере и Эйл. Существует также Национальная добровольческая береговая охрана — она базируется в Кисмайо и нападает главным образом на небольшие суда, в том числе рыболовные. Еще несколько пиратских бригад базируются в портовом городке Марка, однако по численности и по организованности они намного уступают так называемой «группе Пунтленд», контролирующей северное побережье Африканского Рога.

Считается, что какого-то единого, общего руководства у пиратов из Пунтленда и соседних с ним сомалийских провинций не существует — намного важнее тут клановые и родственные связи. И только благодаря этим связям удается налаживать деятельность почти бесперебойного конвейера по торговле захваченными в море заложниками и судами.

С тех пор как этот бизнес перешел в руки лондонских страховщиков и юристов, процедура заключения таких сделок и размер выкупа стали полностью закрытыми для общественности. Тем более что по условиям типового договора страхования от похищения и выкупа судовладелец просто-напросто лишен права вести переговоры самостоятельно или назначать своего посредника.

— Очень рад снова видеть вас, мистер Льюис!

Чернокожий мужчина в годах, с седыми, коротко стриженными волосами и с небольшим шрамом на левой щеке поднялся на мостик теплохода «Профессор Пименов» быстрым шагом уверенного в себе человека. Улыбка у него была широкая, а рукопожатие крепкое.

— И мне тоже весьма приятно, адмирал.

— Извините, что заставил вас ждать.

Обращение гостя было явно приятно сомалийцу. Все-таки настоящего британского джентльмена ни с кем не перепутаешь. Даже если он одет в дешевую рубашку цвета хаки, такие же штаны с множеством карманов и в походные ботинки на толстой подошве.

— Пустяки, не стоит говорить об этом...

— Может быть, я могу предложить вам чашку кофе?

— Нет, благодарю,— отказался англичанин, снова усаживаясь в капитанское кресло.

Первым делом командир пиратов по прозвищу Асад отпустил с мостика молчаливого, мрачного парня из племени бари, который до этого скрашивал своим присутствием одиночество гостя. Потом устроился на втором кресле, рядом со штурманским столиком:

— Надеюсь, мистер Льюис, вы добрались благополучно?

С тех пор, как за дело взялись англичане, добыча уже не находится у пиратов в плену по полгода и более. Теперь товарно-денежный оборот в этом бизнесе занимает всего два-три месяца — захват судна и экипажа, переговоры, освобождение, новый захват... В конечном итоге для сомалийцев это получалось намного выгоднее, чем торговаться из-за каждого доллара. Не оставались в убытке и лондонские посредники, получая до тридцати процентов комиссионных от суммы каждого выкупа.

— Никаких проблем.

Господин Льюис, представитель юридической фирмы «Дэвид Беркли и партнеры», прилетал на переговоры с пиратами уже не в первый раз. Поэтому вид на живописную бухту с рыбацкой деревней вдоль побережья казался ему вполне привычным. Менялись разве что только названия и порты приписки судов, сделавших здесь вынужденную остановку...

— Я видел по дороге, что у вас появилось много новых, хороших коттеджей.

— Да,— согласился Асад.— Теперь многие местные жители могут себе это позволить. В основном они покупают и строят дома, потому что машиной здесь никого не удивишь. Могут завести еще одну жену. Перевести деньги родственникам за границу. Или купить новое оружие, снаряжение.

— Новое оружие? — приподнял брови господин Льюис.

— Во время гражданской войны автомат или пулемет были необходимы, для того чтобы защитить себя и свою семью. Теперь это, скорее, признак социального статуса для любого мужчины. Ну и, конечно же, производственная необходимость.— Сомалиец опять улыбнулся:

— Хотя, в сущности, мы народ очень тихий и миролюбивый. Мы ведь никого не грабим и не убиваем, что бы там у вас ни говорили. Мы просто собираем с иностранных судовладельцев небольшой налог. За проход по сомалийским территориальным водам, за пользование рыбными ресурсами, за ущерб, который причиняют экологии все эти танкеры и теплоходы...

— Говорят, что в последнее время у вас появились проблемы с властями?

— Не думаю, что стоит придавать этим слухам излишне большое значение, мистер Льюис. В нынешней ситуации они, прежде всего, стараются сохранить лицо. Потому что реально никак помешать нам не могут. Вон, здесь несколько раз проводились публичные акции — по телевизору показывали арестованных, как они их назвали, пиратов. Так вот, потом всех просто отпустили.

Асад взял в руку остро отточенный штурманский карандаш и несколько раз постучал им по столику:

— Со своей стороны, мы тоже соблюдаем определенные договоренности. Например, совсем недавно были совершенно бесплатно освобождены две самоходные баржи — потому что находившийся на них груз принадлежал некоторым министрам нашего правительства. К тому же, по просьбе правительства, никто не нападает на суда, следующие в порт Босассо или выходящие из него.

— Весьма разумное отношение к делу,— кивнул англичанин.

— Реально нам с вами, мистер Льюис, следует опасаться только фанатиков из Советов исламских судов. Они сейчас захватили власть на значительной территории Сомали, ввели законы шариата и по ним казнят наших людей, как разбойников, если те попадают к ним в плен. Однако, благодарение Аллаху, американцы пока не позволяют им взять верх на побережье.

— Насколько я понимаю, военно-морских сил НАТО вы тоже не слишком опасаетесь?

— Нам приходится с ними считаться, мистер Льюис,— признал чернокожий пират.— Но, когда речь идет о жизни и безопасности западных граждан, военная сила применяется крайне редко. К тому же океан очень большой, а торговых судов по нему идет очень много. Поэтому крейсеров и фрегатов для их охраны всегда не хватает.

— Прошу прощения...— Англичанин достал из кармана напомнивший о себе спутниковый телефон, чтобы ответить на вызов: — Я слушаю?

Молча выслушав собеседника, он попрощался и нажал на клавишу отбоя:

— Господин адмирал, деньги только что поступили на указанный вами счет в Кении. Можете проверить и убедиться.

— Я вполне доверяю вам, мистер Льюис.— Сомалиец расплылся в белоснежной улыбке: — И я приятно удивлен, что на этот раз мы решили проблему так быстро. Всего за неделю — нет, даже за шесть дней. Намного быстрее, чем обычно...

Он выжидающе посмотрел на представителя лондонской юридической фирмы, однако никаких комментариев по этому поводу от англичанина не последовало. Поэтому предводитель пиратов по прозвищу Асад решил продолжить сам:

— Честно говоря, меня даже несколько удивляет подобная оперативность.

— Не думаю, господин адмирал, что нас с вами должны беспокоить вопросы подобного рода,— достаточно вежливо, но весьма твердо закрыл тему для обсуждения мистер Льюис.

Сомалиец, в свою очередь, не стал настаивать и сменил тему:

— Обычно в таких случаях у нас интересуются, все ли моряки здоровы и живы...

— Все ли моряки здоровы и живы? — Мистер Льюис как настоящий британский джентльмен уважал деловые традиции и правила игры.

— Да, конечно, все они вполне благополучны.

— Тогда, может быть, вы пригласите сюда капитана теплохода?

— С удовольствием, мистер Льюис.

...Как оказалось, литовцы нисколько не уступают англичанам в невозмутимости и умении владеть собой.

Когда капитану теплохода «Профессор Пименов» Любертасу, доставленному под конвоем на свой собственный мостик, было объявлено, что переговоры о выкупе завершились успешно и что судно в любой момент может покинуть пиратскую бухту, он только вежливо поблагодарил представителя лондонской фирмы-посредника.

— Имеются ли у вас какие-то жалобы, господин капитан? Претензии?

Выразительным пожатием плеч моряк продемонстрировал, что, даже если ему и есть что сказать, он не считает для этого подходящим ни время, ни место:

— Нет, у меня нет никаких жалоб.

Вид у капитана был бледный, усталый и не очень здоровый — но, скорее, от груза свалившейся на его плечи ответственности, чем от страха или бытовых неудобств, связанных с положением, в котором оказались экипаж и судно.

— Может быть, пожелания?

Капитан ответил, почти не раздумывая:

— Члены команды хотели бы, как только это станет возможным, связаться со своими семьями по телефону. Им нужно успокоить родных и близких.

— Разумеется, господин капитан. Я устрою это буквально в течение часа.

— Не держите на моих людей зла, капитан. Ничего личного, как говорят, только бизнес,— вмешался в разговор сомалиец.— Я отдам приказание, чтобы на борт теплохода доставили свежие продукты и воду.

— Сколько времени вам понадобится, чтобы запустить судовые машины? — поинтересовался у капитана британский юрист.

— Не знаю. Надо все осмотреть и проверить.

— К вечеру управитесь?

— Не уверен.— Литовец озабоченно покачал головой.

— Сделайте все возможное. Вам и самим ведь хотелось бы поскорей выйти в море?

— Да, конечно,— не стал спорить капитан. Посмотрев на британца, он задал вопрос: — Каковы будут дальнейшие указания?

— Вы их получите, когда свяжетесь с судовладельцем. Но, насколько я знаю, он хочет, чтобы вы срочно следовали в Порт-Судан. Сообщите об этом команде. И еще сообщите, что каждому члену экипажа в конце рейса будет выплачена денежная компенсация за те неудобства, которые им пришлось пережить. А если кто-то захочет списаться в Судане, ему оплатят билет на самолет.

— У вашего судна хороший владелец,— заметил капитану сомалиец.

Когда литовский моряк ушел вниз по трапу в кают-компанию, где его с нетерпением ожидала команда, представитель юридической фирмы повернулся к пирату:

— Адмирал, мне хотелось бы иметь дополнительные гарантии того, что по пути в Порт-Судан этот теплоход не будет повторно захвачен вашими... коллегами.

— Мистер Льюис, мы же приличные люди,— с искренней обидой посмотрел на англичанина чернокожий мужчина по прозвищу Асад...

* * *

Когда приходит время праздновать победу, любое вооруженное ополчение совершенно утрачивает революционную бдительность.

Беспорядочная пальба вокруг началась еще утром, и Николай Проскурин, сидевший за рулем грузовика, даже снял с предохранителя свой пистолет-пулемет:

— Кто-то мочит кого-то...

— Да вроде похоже,— прислушался Оболенский.

— Слушай, как бы и нам тут случайно не перепало.

Судя по всему, к неприятностям приготовились и те, кто ехал в машине сопровождения: офицер секретной полиции Сулейман, Михаил Иванов и Карцев, который отзывался теперь исключительно на обращение «синьор Маринео». Транспортное средство им досталось, как и предупреждал ливиец, довольно своеобразное — американский «виллис» без лобового стекла, забытый союзниками в этих краях, очевидно, еще во времена сражений против фельдмаршала Роммеля.

Проскурин сразу же обозвал его на афганский манер «барбухайкой». Однако совсем неожиданно на защиту легенды военной автомобильной промышленности встал Алексей Карцев, который потребовал от товарищей проявить уважение к возрасту и боевым заслугам четырехколесного ветерана. И, надо признать, за всю дорогу «виллис» не подвел их ни разу, хотя бензин поглощал в неприличных количествах, а время от времени принимался совсем по-стариковски чихать и кашлять изношенным двигателем...

— Стой, Коля! Видишь, они притормаживают. Только двигатель не глуши.

— Обижаешь, начальник.— За рулем КамАЗа Николай Проскурин освоился почти сразу, без труда восстановив армейские навыки.

— Пойдем, с ребятами поговорим.

Откуда и куда стреляли, определить оказалось невозможно даже усилиями всего коллектива — возникало такое впечатление, что беспорядочная пальба, почти не затихая, доносится отовсюду. Поэтому после непродолжительной остановки решено было двигаться дальше, приняв дополнительные меры предосторожности.

— Еще раз...— повторил инструктаж Оболенский.— Ты, Коля, у нас теперь египтянин. Поэтому только молчишь и киваешь. Если что, говорить буду я.

— Все понятно,— кивнул Николай.

— Сулейман в вашей машине — за старшего. Огонь открывать только по его команде.

— Постараемся.— Иванов поправил на плече ремень автомата и почти незаметным движением дотронулся до «грача», спрятанного под одеждой.

— Вы двое разговариваете между собой только по-итальянски. Или, хотя бы так, чтобы выглядело похоже...— усмехнулся Оболенский.— На все вопросы, которые вам будут задавать, реагируете идиотской улыбкой, потом показываете на переводчика. Как, собственно, и положено иностранцам.

— Хомо хомини люпус эст [1]! — попытался блеснуть эрудицией Карцев.

— Это вообще-то не совсем по-итальянски.

---

[1] Человек человеку волк (*лат.*).

— Ну, ладно придираться-то.

— Поехали, чего стоять? Упремся — разберемся...

Причина повсеместной пальбы выяснилась через несколько километров при первой же встрече с повстанцами.

— Все в порядке, Коля,— сообщил Оболенский, забираясь обратно в кабину.— Это не война. Это праздник. Что-то вроде салюта победы.

— Кто кого победил-то? — понизив голос почти до шепота, уточнил Проскурин и начал осторожно выруливать вслед за «виллисом» от обочины.

— Говорят, CNN показала по телевизору, что войска оппозиции вчера ночью заняли Триполи. Резиденцию полковника Каддафи не то расстреляли из танков, не то разбомбили до основания. Сам он, вроде, убит или скрылся в Алжире, зато в плен взяты двое его сыновей.

— Что-то не верится...

Прежде чем высказать свое мнение, Оболенский расплылся в широкой улыбке и помахал кому-то на прощание через опущенное боковое стекло. В ответ раздалась короткая, безобидная очередь в воздух из автомата и радостный крик по-арабски.

— Какая разница? Главное, им сейчас не до нас.

И действительно, из-за всеобщего всенародного ликования паспорта и бумаги пришлось показывать только на одном из многочисленных блокпостов, установленных повстанцами вдоль дороги на север, и вдоль трубопровода, соединяющего крупнейшее в мире нефтяное месторождение Серир с побережьем страны. На остальных контрольно-пропускных пунктах оказалось вполне достаточно пары-тройки приветственных восклицаний с обеих сторон и двух бло-

ков сигарет «Мальборо», которые Карцев раздарил
ополченцам по случаю праздника.

— Нет, послушай, но кто бы подумал, что это сра-
ботает...— не переставал удивляться Проскурин, стараясь выдерживать дистанцию до джипа, который
пылил впереди.

Старенький «виллис» поразительно напоминал
сейчас армейские внедорожники, которые можно
увидеть на улицах Питера или Москвы в День де-
сантника. Только вместо знамени ВДВ, над ним раз-
вевались трехцветный флаг оппозиции и большое
полотнище с эмблемой итальянской энергетической
компании ENI [1].

Большегрузный КамАЗ, разумеется, также был
разукрашен по полной программе. Кроме государственного итальянского флага, закрепленного над
кабиной, на его бортах были намалеваны белой краской арабские лозунги с проклятиями в адрес Муаммара Каддафи и пожеланиями свободы героическо-
му ливийскому народу. Дополнительно, на всякий
случай, на всех металлических бочках, стоявших в
крайнем ряду, красовались большие наклейки с логотипом все той же...

— Они что здесь, действительно так итальянцев
любят?

— Нет. Они к ним уже просто привыкли,— немного подумав, пояснил Оболенский.

Действительно, мало кто из ливийцев вспоминал
теперь недобрым словом период недолгого итальянского колониального владычества. Зато работа на
предприятиях по разведке, добыче и переработке уг-
леводородного сырья многим из них дала средства к
существованию — за последние годы ENI вложила в

экономику Ливии миллиарды долларов, импортируя из страны до пятисот тысяч баррелей нефти в день. К тому же всем было прекрасно известно, что именно итальянцы совместно с французами начали нынешнюю военную кампанию против режима Каддафи.

— Между прочим, перед самой войной ENI планировала сделку с нашим «Газпромом»...

— С чьим, простите, «Газпромом»? — уточнил Проскурин, который всегда недолюбливал отечественных олигархов.

— С российским,— усмехнулся Оболенский.— Итальянцы должны были уступить нефтяной «дочке» «Газпрома» примерно треть в проекте разработки ливийского нефтегазового месторождения Элефант. Сумма контракта оценивалась в сто восемьдесят миллионов долларов, но Россия уже имеет здесь две собственных разведочных лицензии на суше и на шельфе. Ну, еще доли в некоторых концессиях...

— И что теперь будет с этим контрактом? — Проскурин махнул рукой в сторону, из которой донесся очередной раскат праздничной автоматной стрельбы.

— Не знаю. Не думаю, что итальянцы захотят делиться. Тем более что сделка по месторождению Элефант продвигалась и готовилась под личные гарантии полковника Каддафи.

— «Газпром»...— с выражением произнес Проскурин.— Мечты сбываются.

— В первый раз, что ли? Вспомни Кубу, Германию или, к примеру, Ирак...— Военный переводчик посмотрел за окно, на бесконечные трубы, по которым

из Ливии на экспорт перекачивается черное золото.— Знал бы ты, сколько денег мы там потеряли.

— Мы с тобой потеряли? — не удержался от уточнения Николай.

— Страна потеряла. И мы с тобой, значит, тоже...

На участке магистрального трубопровода, мимо которого они сейчас проезжали, были явно заметны следы разрушений, которые кто-то поспешно восстановил. Оболенский припомнил, что месяц или два назад в средства массовой информации по этому поводу выплеснулся целый поток взаимных обвинений — представители полковника Каддафи утверждали, что бомбардировку крупнейшего восточного месторождения совершили самолеты НАТО, а оппозиция пыталась доказать, что это дело рук правительственных войск.

— Говорят, геологические запасы нефти только в этом районе оцениваются почти в четыре миллиарда тонн.

— Это много?

— Этого достаточно, чтобы начать войну.— Оболенский высунул руку через боковое окно, чтобы поправить трехцветный флажок над кабиной:

— Между прочим, ENI имеет свои интересы и у нас дома. Итальянцам принадлежит половина газопровода «Голубой поток», большой пакет акций компании «Газпромнефть», а когда обанкротился «ЮКОС», они прикупили себе еще кое-какие активы Ходорковского.

— Ловкие ребята.

— Не то слово!

Как бы то ни было, фирменная эмблема итальянского нефтегазового гиганта и революционные атрибуты срабатывали пока лучше всяких бумаг с фотографиями, пропусков и печатей на бланках. Поэтому остаток дороги до оазиса Аль-Джагбуб удалось преодолеть довольно быстро и без особых проблем.

...Население одноименного городка, расположенного на перекрестке караванных путей и вполне современной магистрали, составляет, по справочникам, около тысячи человек. И, как показалось Иванову, все это население сейчас прыгало и бесновалось на главной улице прямо перед колесами «виллиса». Почти каждый местный житель, увидев на проезжающих автомашинах флаг победившей революции, считал своим долгом выкрикнуть что-нибудь радостное и пальнуть пару раз в небо.

«И когда же у них патроны-то кончатся»,— подумал про себя Иванов, изо всех сил удерживая на лице затяжную улыбку. Расположившийся рядом с ним Карцев тоже не забывал крутить головой по сторонам и приветствовал каждого очередного стрелка поднятым над головой кулаком с двумя пальцами, оттопыренными на манер латинской буквы «V».

Тяжелее других приходилось сидевшему за рулем Сулейману — ливийский офицер с большим трудом подавлял в себе желание прибавить газ, чтобы на всей скорости врезаться в толпу врагов Джамахирии. А потом достать из-под сидения автомат и разряжать по ним магазин за магазином, пока кто-нибудь не оправится от неожиданности и не откроет ответный огонь...

Относительное спокойствие в городке сохраняли, наверное, только верблюды, которых здесь было великое множество. Они только мелко потряхивали ушами после каждого нового выстрела и опускали длинные мохнатые ресницы, чтобы отгородиться от несовершенства окружающего мира.

...Слава Аллаху, заслуженный «виллис» окончательно умер уже после того, как городок Аль-Джагбуб остался позади.

— Элиф айр аб тизак! — громко выругался Сулейман, когда последняя попытка реанимировать двигатель не принесла никаких результатов.

— Это точно,— вынужден был согласиться с ним Иванов, вытирая промасленной ветошью руки.— Полный тизак, без вариантов.

— Ну, что, перегружаемся? — уточнил Оболенский.

— По старой схеме?

— Да, наверное.— Иванов бросил на сидение тряпку и потянул за ремень свой АК-47.— Мужики, забирайте оружие, вещи и что там еще...

Залезать в духоту, под брезентовый тент грузовика, никому не хотелось, однако выбора не было. Пока Оболенский возился с флагами, пытаясь как можно надежнее закрепить их на КАМАЗе, Алексей Карцев с Колей Проскуриным откатили американский джип к краю дороги.

— Поджигать будем? — уточнил у командира Николай.

— Или, может, растяжек поставим? — предложил Карцев.— У меня есть граната.

— Нет, не стоит,— после некоторых колебаний решил Иванов.

Привлекать к себе внимание шумной акцией вроде пожара или диверсии не было необходимости. К тому же он не считал эту войну своей и ничего не имел против местных крестьян, которых отчего-то не устраивал нынешний режим.

— Осторожно, Петрович, под ноги смотри! — предупредил Иванов.

— А что такое?

— Мины.

— Согласен,— отозвался Алексей, собравшийся справить нужду за каким-то строением.

— Это часть незаконченного водопровода,— пояснил Сулейман.— Он должен был называться «Великая рукотворная река» и на севере уже начал действовать. Полковник Муаммар Каддафи мечтал, чтобы глубинные насосные станции перекачивали подземную воду по всей стране, чтобы люди уже никогда не испытывали в ней нужды. Вот сюда, например, планировалось протянуть специальную ветку...

Сулейман посмотрел на часы:

— Надо ехать. К утру мы должны быть в Египте.

— Иншалла,— предусмотрительно добавил за него Иванов.

...Разговаривать в кузове грузовика из-за шума и тряски оказалось практически невозможно.

Зато у севшего за руль Сулеймана наконец появилась возможность высказать все, что было у него на душе:

— Неблагодарные твари! Гиены, прислужники империализма...

Радиоприемник в кабине КамАЗа не работал, поэтому при обсуждении сегодняшних новостей ему и Оболенскому приходилось основываться лишь на обрывочной информации, которую удалось получить по дороге.

— Эти грязные свиньи в Бенгази и западные журналисты опять нагло врут, я уверен! Мятежники никогда не смогли бы захватить Триполи. Я сам видел — столица готовится к обороне, и тысячи жителей добровольно взялись за оружие. Они все как один готовы отдать жизни за своего вождя, за свободу и за независимость Ливии...

Сулейман совершенно непроизвольно придавил педаль газа, и стрелка спидометра тотчас же перевалила за восемьдесят километров в час:

— Я знаю, полковника Муаммара Каддафи охраняют отборные подразделения гвардии. Солдаты и офицеры будут сражаться с врагом до последнего...

Прежде чем сказать что-то в ответ, Оболенский посмотрел за окно на мелькающие по обеим сторонам дороги финиковые пальмы:

— Война не всегда заканчивается даже с падением столицы...

— Совершенно справедливые слова! Даже если полковнику сейчас и пришлось покинуть Триполи, он вполне может перебраться в свой родной город Сирт, чтобы оттуда нанести по предателям беспощадный ответный удар. Потому что, за исключением кучки продажных мерзавцев, которые соблазнились подачками и обещаниями империалистов, весь ливийский народ поддерживает свое законное правительство.

Переводчик потер подбородок, успевший покрыться заметной щетиной:

— Извините меня, Сулейман, но, по-моему, все немного сложнее. Например, если посмотреть на сегодняшнее поведение местных жителей...

— Трижды проклятые и презренные сануситы! — Сотрудник ливийской секретной полиции на ходу сунул левую руку в карман и извлек из него сигарету.— Они еще за все заплатят, клянусь Аллахом!

— Как вы назвали их, Сулейман? — не разобрал Оболенский.

— Сануситы. Сторонники королевской династии.

Вообще-то, насколько помнил еще с институтской скамьи Оболенский, сануситами называли когда-то членов религиозного ордена Сенусийя. Основателем его был алжирский марабут [1] Мухаммад бен Али ас-Сануси, в учении которого классический суфизм соединился с элементами ваххабизма. Сануситы сопротивлялись реформированию стран Ближнего Востока и Северной Африки по европейскому образцу, отстаивали чистоту ислама и осуждали все иностранное.

Из дальнейших объяснений Сулеймана можно было сделать вывод, что он не ошибся:

— Мухаммад ас-Сануси имел здесь, в оазисе Джагбуб, свою главную резиденцию. Здесь же родился и его внук Идрис I, который потом стал королем Ливии. После того как Сентябрьская революция под руководством Муаммара Каддафи в тысяча девятьсот шестьдесят девятом свергла монархию, король еще много лет постоянно пытался вернуть себе власть, опираясь на местные племена и сануситские общины.

Не отпуская руль грузовика, Сулейман прикурил очередную сигарету и продолжил:

— Поэтому здесь никогда не любили Джамахирию. Полковник Муаммар Каддафи все время боролся с пережитками прошлого. Но племенной уклад не

---

[1] Дервиш, монах-воин в исламе, член религиозного братства.

разрушишь за несколько десятилетий. Сам полковник происходит из племени Аль-Кадафа, однако является лидером всей ливийской нации. Хотя многие этого признавать не желали. У нас не существовало политических партий и так называемой западной демократии, зато были спокойствие и стабильность...

За окнами кабины мелькнула последняя финиковая роща, после чего грузовик опять выкатился в пустыню.

ГЛАВА 3

Со вчерашнего вечера погода на море установилась отличная. Прозрачное, чистое небо, видимость до горизонта, волнение меньше двух баллов...

Траулер «Barcelona» шёл курсом на северо-восток приблизительно в полусотне миль от берега.

— Пусти-ка, парень...— Капитан Асад дотронулся до плеча вахтенного матроса, стоявшего на руле.

— Есть, сэр! — Вахтенный был очень молод, улыбчив, и ему всё ещё нравилось играть в настоящего моряка.

Радар показывал присутствие в промысловом районе множества небольших рыболовных судов и ещё нескольких объектов покрупнее. Очевидно, это были какие-нибудь иностранные танкеры или сухогрузы, следовавшие привычным маршрутом вдоль сомалийского побережья.

— Так держать! — распорядился Асад, опять уступая место рулевому.— И не рыскай на курсе.

Сегодня охота на беззащитные торговые суда совсем не интересовала старого пирата. В сущности, он

вообще не собирался выходить в море до следующей недели — надо было кое-что еще подремонтировать на траулере, да и люди вполне заслужили свой отдых после удачного дела с «Профессором Пименовым».

А жадность — это грех. Жадность, как известно, порождает бедность. И прочие неприятности...

Однако покинуть родной берег капитану Асаду и его команде пришлось неожиданно и поспешно. Дело в том, что из столицы Пунтленда к ним, в рыбацкую деревню на побережье, должна была со дня на день прибыть целая международная делегация, изучающая вопросы гуманитарных поставок ООН. Караваны с водой, продовольствием и лекарствами, которые мировое сообщество направляло сомалийцам самолетами и через сухопутные границы, очень редко доходили до пунктов назначения не разграбленными. Поэтому специальная миссия решила изучить возможность доставки в Сомали грузов морским путем. Относительно крупные порты страны имели довольно сомнительную репутацию, поэтому встал вопрос о создании под эгидой ООН и на ее средства совершенно нового перевалочного пункта. И одним из самых вероятных мест его строительства как раз и оказалась та самая деревенька, из которой происходили сам Асад, а также большинство его людей.

Хорошо, что их успели заранее предупредить о предстоящем визите высоких гостей...

Необходимо было сделать все, чтобы иностранные гости поверили: никакой пиратской базы здесь нет, не было и не могло быть. А в удобной и тихой бухте на побережье проживают исключительно мирные рыбаки. Потому что тогда, при благоприятном решении, вместе с деньгами, потоками грузов и специалистами из ООН в их родные края придет настоящее процветание — то есть возможность легально, без лишнего риска, зарабатывать на транзите гуманитарных товаров и продовольствия.

Человек по прозвищу Асад с большим удовольствием оставил бы пиратский промысел кому-нибудь из своих более молодых соплеменников. На капитанскую долю приходилась довольно значительная часть из каждого полученного выкупа, так что на банковских счетах в Европе у него уже накопилось достаточно средств, чтобы обеспечить достойную старость себе и приличное образование детям. Трое братьев, сестра и еще кое-какие его близкие родственники еще в середине девяностых, в период массового бегства из охваченного гражданской войной Сомали, обосновались в далекой Финляндии[1], еще один брат женился на англичанке, чтобы иметь небольшой бизнес в Лондоне...

Поэтому, получив известие о предстоящем визите высоких гостей, чернокожий пират в самом срочном порядке собрал на борт команду, оружие — и увел «Барселону» в открытое море.

— Капитан Асад, посмотрите!

— В чем дело, парень?

Увиденное заставило капитана пиратского судна удивленно приподнять брови. Экран локатора совершенно внезапно покрылся густой рябью точек, полностью заменившей привычное изображение. Остальная электроника на мостике тоже вдруг вела себя очень странно...

---

[1] Численность этнической сомалийской общины в Финляндии составила в 2011 году более 10 000 человек.

Судовые машины, впрочем, продолжали работать в обычном режиме. Рулевое управление тоже — в этом Асад убедился, крутанув деревянное колесо штурвала.

— Кто-то явно наводит помехи,— сообразил сомалиец.

Догадка оказалась совершенно правильной, а источник помех определился сразу же, как только он вышел на крыло рубки. Справа по курсу, на небольшой высоте, к траулеру приближался боевой вертолет «Пантера», на борту которого уже без труда можно было разглядеть номер и опознавательные эмблемы французских военно-морских сил.

— Какого дьявола они делают?

Асад на мгновение отвел взгляд от вертолета, чтобы лишний раз убедиться, что государственный флаг Сомали полощется на ветру именно там, где ему и положено.

— Это чертовы иностранцы совсем обнаглели...

Тем временем винтокрылый летательный аппарат пересек курс пиратского судна, немного набрал высоту и принялся огибать траулер по левому борту.

— Объяви общую тревогу! — крикнул Асад вахтенному матросу: — Никому не высовываться на палубу.

Явно, где-то поблизости должен болтаться военный корабль, с которого французская «Пантера» поднялась в воздух. Значит, скоро вполне может появиться и досмотровая группа.

Ничего особенного, не первый раз...

Только в операции военно-морских сил Евросоюза «Аталанта», затеянной странами Запада под благовидным предлогом противодействия сомалийским пиратам, с декабря позапрошлого года принимает участие больше двенадцати кораблей. И уставшие от многомесячного безделья военные любят, по поводу и без повода, досматривать мирных сомалийских рыбаков.

— Что случилось, капитан Асад? — поинтересовался командир боевиков из абордажной группы, поднимаясь по трапу на мостик. В его голосе прозвучало, скорее, плохо скрываемое раздражение, чем тревога.

— Нас посетили нежелательные гости. Вон, видите? Уходит за корму...

Но второй человек на борту после Асада и сам уже заметил в безоблачном небе «Пантеру», завершающую облет судна:

— Проклятые европейские свиньи!

— По команде выбрасываете все оружие в море. Все оружие! Вы меня поняли?

— Будет исполнено, капитан Асад.

— Только действуйте осторожно. Они будут снимать свою высадку на видеокамеры.

— Я прикажу заранее собрать мешки и опустить их за борт.

Потеря, конечно, невелика. Побывавший в употреблении автомат китайского производства в этих краях стоит долларов триста, любой пистолет — еще дешевле. Советский ручной противотанковый гранатомет, непревзойденное оружие для ближнего морского боя, тоже можно купить не так уж и дорого. Но все же обидно вот так идти на поводу у обстоятельств...

— Посмотрите, капитан Асад!

Вертолет вдруг стремительно начал набирать высоту, с каждой секундой увеличивая расстояние, отделявшее его от пиратского судна.

— Что там на радаре?

— Все в порядке,— отозвался рулевой матрос из рубки.— Хорошее изображение.

— Посмотрите, куда они полетели,— отдал распоряжение Асад.

После чего обернулся к командиру своих боевиков:

— Благодарение Аллаху, мы их, кажется, не заинтересовали.

...Но на этот раз один из самых удачливых и осторожных сомалийских пиратов ошибся. И ошибка, которую он допустил, стала самой последней в его жизни.

Крылатая противокорабельная ракета Exocet MM38, выпущенная с борта фрегата ВМС Франции «Nivose», на расстоянии шести миль от цели снизилась на предельно малую высоту и со скоростью больше трехсот метров в секунду прошла борт рыболовецкого траулера «Barcelona» у самой ватерлинии. Смертоносное содержимое боеголовки сразу же разнесло в клочья мостик и палубные надстройки, перемешав окровавленные останки людей с покореженными кусками железа и пластика.

А еще через мгновение взрыв от точного попадания второй французской крылатой ракеты оторвал и без того смертельно раненному судну большую часть кормы...

Наверное, маленькая «Barcelona» могла бы гордиться своей героической гибелью — именно так же, такими же точно ракетами во время Фолклендской

205

войны были потоплены британский эсминец «Шеффилд», контейнеровоз «Атлантик конвейер» и серьёзно повреждён эсминец «Гламорган». А еще позже, в восемьдесят седьмом, две ракеты такого же типа, выпущенные с иракского самолёта «Мираж», поразили американский фрегат «Старк» в Персидском заливе, выведя его из строя и уничтожив около сорока человек.

Во всяком случае, спустя четыре минуты пятьдесят секунд на том месте, где только что рассекала океанские волны «Barcelona», остались только наполовину раскрытый спасательный плотик, грязножелтые поплавки от рыбацких сетей, несколько более или менее крупных обломков, а также темное масляное пятно, норовившее расползтись во все стороны.

А еще через пару минут вернулся французский вертолет.

Сделав круг над останками потопленного судна, «Пантера» на всякий случай прошлась длинной очередью из 20-миллиметровой пушки по спасательному плоту. Потом — скорее, для собственного удовольствия, чем по необходимости,— ее экипаж сделал еще несколько прицельных выстрелов, выключил бортовую видеокамеру и с чувством хорошо исполненного долга отправился в обратный путь.

Действительно, живых пиратов не осталось — ни на поверхности океана, ни под водой.

Последним из всего экипажа погиб молоденький моторист, оказавшийся наглухо замурованным в машинном отделении. Его жизненный путь оборвался только после того, как несчастная «Barcelona» достигла скалистого дна, и ее корпус раскололся почти пополам от удара...

В этот момент командир фрегата военно-морских сил Франции «Nivose» с бортовым номером F-732 уже докладывал о результатах проведенной специальной операции в Париж.

Получив в ответ приказ — немедленно покинуть зону боевого столкновения с пиратами, он дал команду изменить курс и увеличить скорость до двадцати узлов...

* * *

Придорожное кафе примерно в ста пятидесяти километрах на запад от озера Насер вполне могло считаться прямым потомком караван-сараев, предоставлявших стоянку и кров путешественникам в этих краях с незапамятных времен.

Правда, в наши дни традиционный загон для вьючных животных заменила асфальтовая площадка, на которой были припаркованы несколько грузовиков с египетскими или суданскими номерами, а также белоснежный туристический автобус.

— Хочу мороженого,— заявил неожиданно Карцев.

— Ну, так, пойди и купи.— Иванов взял большой бокал с пивом и сделал глоток.

— Где?

— Вон там, за сувенирами.— Иванов махнул рукой куда-то в глубину помещения, накрытого полотняным навесом.

В глубокой древности путешественники должны были иметь с собой постель, ковры и все необходимые припасы для себя и для своих животных. Часто в караван-сарае имелась лишь вода, привезенная издалека и стоившая больших денег, хотя в больших городах за плату можно было получить и дополнительные услуги — питание в чайхане, баню, обмен валюты...

Теперь почти все эти блага оказались доступны даже посередине пустыни, однако их предложение явно опережало спрос. Немногочисленные туристы, спешившие полюбоваться красотами великолепного комплекса Абу-Симбел, предпочитали питаться в дороге бесплатными завтраками, которые им выдавала администрация перед выездом из отеля. Сувениры их тоже практически не интересовали — почти все из того, что лежало здесь на прилавках или висело вдоль стен, продавалось в туристических центрах на побережье намного дешевле. Сонные бедуины с верблюдами у пассажиров автобусов, уже успевших пресытиться египетской экзотикой, также особого интереса не вызывали, и фотографироваться с ними за деньги никто не хотел. Несколько больше везло местным детям — худощавому, очень улыбчивому пареньку, водившему на веревке худую козу, и совсем уже маленькой девочке, которая предлагала погладить смешную лисичку, отловленную в пустыне. Детям время от времени туристы все-таки подавали какую-то мелочь — и даже не за фотографии на память, а просто так, по доброте душевной...

Что же касается водителей большегрузных автомашин, то большинство из них, в первую очередь, интересовались наличием топлива на заправке. И только немногие позволяли себе кроме чашечки ароматного кофе заказать хоть какую-нибудь еду.

Хорошо продавалась, пожалуй, только минеральная вода в пластиковых бутылках да всякие вредные глупости вроде газированных напитков из холодильника или чипсов местного производства. А еще, конечно же, пользовался популярностью грязноватый, но, в общем, приемлемый туалет, находившийся рядом с кафе.

— У меня денег нет,— напомнил Карцев.— Только доллары.

— Доллары здесь тоже принимают,— успокоил его Оболенский.

— Сотенную?

— На, возьми, чтобы лишний раз не светиться.— Оболенский достал из кармана несколько смятых египетских фунтов.

— Цивилизация...— констатировал Карцев, собираясь подняться из-за стола.

— Да ладно тебе, Петрович! Подожди,— остановил его Иванов.— Помянем боевого товарища.

— Не возражаю,— опустился на свое место Алексей Карцев.— Не чокаясь?

— Само собой.— Иванов допил пиво и вытер с губ остатки пены.— Он нас ни разу не подвел.

— Всем буду говорить теперь, что КамАЗ — отличная машина.

— В хороших руках,— уточнил Оболенский.

— А кто бы спорил...

До оазиса Сива они добрались без особых проблем — египтяне давно уже притерпелись к многочисленным ливийским беженцам, пересекавшим границу без виз и формальностей. В прежние времена здесь проходила Масраб эль-Ихван, Дорога братства, по которой проповедники ордена сенусситов добирались до оазисов западной пустыни. Сегодня египетские солдаты в основном были заняты тем, что охотились на контрабандистов, везущих гашиш, электрические товары или видеоаппаратуру, поэтому все вопросы с ними Сулейман решил быстро и на коммерческой основе. Куда бóльшую опасность представляли здесь минные поля, установленные вдоль ливийской границы. Восемь лет назад для прохода ралли Париж—Дакар от них был расчищен специальный коридор, но машина итальянской команды все равно напоролась на мину, и несколько участников автопробега получили ранения.

Иванову и его спутникам повезло больше, чем итальянцам, и под колесами их грузовика никаких неприятных сюрпризов не оказалось. Однако дальше, за Бахарию и Каср-Фарафра, двигаться на КамАЗе было бы слишком рискованно — он вполне мог привлечь к себе внимание на любом полицейском посту не только иностранными номерами, но и в первую очередь яркими революционными лозунгами, начертанными по-арабски на брезенте и на кабине.

Впрочем, предусмотрительный Сулейман успел позаботиться и об этом. У ливийской разведки, как оказалось, в Египте хватало друзей и помощников, один из которых уже поджидал их перед деревней Бавити. В его сопровождении КамАЗ заехал на территорию небольшой фабрики по разливу минеральной воды, которая была укрыта от посторонних взглядов глухим забором из желтого кирпича и целой рощей финиковых деревьев...

— Отдыхайте, ребята,— распорядился Иванов, когда Сулейман объяснил ему ситуацию.

— А ты чего, командир?

— Я пока присмотрю, что тут, как.

— Значит, гипс будем снимать прямо здесь? — с серьезным видом кивнул Проскурин.

— У нас есть своя точка на трассе,— голосом артиста Папанова из «Бриллиантовой руки» ответил ему Иванов.

...Автомобилем, на котором предстояло продолжить путь в Судан, оказался новенький, чисто вымытый белый Hyundai HD 170, с установленным на нем морским двадцатифутовым контейнером. Сулейман подогнал КамАЗ к нему почти вплотную, заглушил двигатель, передал ключи тому самому человеку, который их встретил, и по-арабски скомандовал:

— Начинайте. Только, ради Аллаха, пусть делают все осторожнее...

Перемещение сорока тяжелых металлических бочек из кузова армейского грузовика в контейнер заняло не так уж много времени. Четверо молчаливых людей — по виду, самых обыкновенных фабричных рабочих,— с помощью автопогрузчика и специальных захватов выполнили эту работу еще до того, как Оболенский, Проскурин и Карцев успели помыться, привести себя в относительный порядок и съесть принесенный гостеприимными хозяевами обед.

— Закрываем? — уточнил Сулейман.

Иванов на всякий случай заглянул еще раз под брезент КамАЗа — там было пусто. Потом подошел к контейнеру, который оказался заполнен немного больше чем наполовину:

— Закрываем.

Сулейман с его помощью сдвинул створки и запер контейнер. Навесив сверху дополнительный замок, он убрал в карман один ключ, отдал второй Иванову и подал знак стоявшему неподалеку молчаливому арабу. А спустя еще пару минут контейнер был по всем правилам опломбирован для таможенного досмотра.

— Что с нашей-то машиной делать будем?

— Я приказал своим людям ее уничтожить,— ответил Сулейман.— Но, думаю, они все равно не послушаются. Разберут и продадут на запасные части...

— Ну, что, товарищи, вам нравится? — спросил он, когда все опять собрались в дорогу.

— Как мы тут впятером-то поедем? — в свою очередь задался вопросом Проскурин, перекидывая на спальное место в кабине корейского грузовика сумки с оружием и личными вещами.

— Так и поедем,— вздохнул Иванов.

И действительно, так и поехали. Как говорится — в тесноте, да не в обиде. Оазис Фарафра, оазис Дахла, городок Эль-Харга в одноименном оазисе, где все-таки пришлось остановиться, чтобы заправить бак топливом... Из семисот с лишним километров пути Иванову запомнились, пожалуй, только известняковые глыбы Белой пустыни, напоминающие своей формой гигантские грибы-поганки, расплодившиеся на песке.

— Послушай, так что ты там выяснил про пароход? — вспомнил Карцев.

— Он еще не пришел в Порт-Судан,— ответил Оболенский.— Ожидается завтра.

— Удачно получилось.— Алексей внимательно посмотрел на дно пустого бокала и зачем-то пару раз наклонил его из стороны в сторону: — Когда вернемся, куплю себе катер. Или яхту.

— У тебя же, Петрович, по-моему, был уже катер? — удивился Иванов.— Ты сам рассказывал.

— Пришлось продать. Оборотные капиталы были нужны. А теперь опять куплю.

— Зачем?

— Кататься,— пожал плечами Алексей Карцев.— Представляете? Кругом вода, вода, вода... и никаких песков.

— Надо бы ребят сменить,— напомнил ему Иванов.

— Будет сделано, командир. Уже выдвигаюсь.

Оставлять грузовик без присмотра было нельзя, и сейчас в нем дежурили Сулейман и Проскурин.

— Я, значит, тоже пойду,— поднялся из-за стола Оболенский.

— Давай,— кивнул переводчику Иванов и попросил: — Оставь еще немного денег. Наверняка ребята чего-нибудь захотят.

— Без проблем...

Николай и ливиец пришли на освободившиеся места в кафе минут через пять.

— Все в порядке? — спросил Иванов, когда они забрали со стола пачку мятых египетских фунтов, сходили к стойке и вернулись с едой и напитками.— Чем занимались?

— Передачи по радио слушали.

В кабине корейского грузовика был не только работающий кондиционер с установкой для климатического контроля, но и прекрасный радиоприемник.

— И что, какие новости?

Представление о ситуации в Ливии они уже, в общем, имели. По дороге Оболенский переводил своим спутникам почти все из того, что по этому поводу говорилось египетскими средствами массовой информации. Если верить их сообщениям, город Триполи сдался почти без боев, личная гвардия Муаммара Каддафи побросала оружие и разбежалась, а вожди кочевых племен признали власть Переходного национального совета. Семья свергнутого диктатора якобы перебралась в Алжир, а сам он — то ли убит повстанцами, то ли скрылся в Венесуэле, то ли прячется где-то поблизости от границы с Тунисом...

Относительно будущего Каддафи почти все местные обозреватели сходились на том, что ливийский сценарий принципиально отличается от тунисского и египетского. Бен Али смог сбежать в Саудовскую Аравию, Хосни Мубарак отказывался, и у него сохранилась возможность предстать перед судом в своей стране. А полковнику просто некуда уходить. Остаться в Ливии в качестве рядового гражданина он не сможет, так как слишком многие его ненавидят. В большинстве арабских стран, как и на Западе, с Муаммаром Каддафи готовы побеседовать не как с политическим мигрантом, а только как с обвиняемым в преступлениях против собственного народа.

Много внимания политологи из Каира уделяли также тому, что страны западной коалиции обсуждают вопрос о размораживании ливийских счетов и о передаче их новому правительству. А вот насчет отношения к происходящему со стороны России так и не прозвучало ни слова — очевидно, ее политическая позиция давно уже не имела на Ближнем Востоке решающего значения.

— Не знаю, какие новости.— Проскурин отхлебнул пиво прямо из банки, и запустил ложку в ароматное блюдо, по виду очень похожее на плов с курицей и ветчиной.— Я по-арабски пока что не в совершенстве, поэтому попытался поспать...

— Что говорят по радио, Сулейман?

Ливиец спиртное практически не употреблял, поэтому перед ним стояла маленькая чашечка темно-коричневого, почти черного кофе, бутылка минеральной воды и внушительная порция хумуса[1].

— Мне удалось поймать канал «Аль-Арабия» из Дубая...— Только сейчас Иванов обратил внимание, что Сулейман выглядит уже не таким угнетенным и озабоченным, как во время дороги.

— Они передали обращение полковника Каддафи к ливийскому народу. Я хорошо знаю его голос, это был он, клянусь Аллахом! Полковник призвал весь народ продолжать борьбу против сил международного империализма и против их прислужников из Переходного национального совета. Даже если вы и не слышите моего голоса,— сказал полковник,— все равно продолжайте сопротивление, ведь между натовцами и их агентами существуют разногласия...— Сулейман оглянулся по сторонам и понизил голос почти до шепота: — Борьба не окончена. Западные крестоносцы, сказал полковник Каддафи, используют против нас наемников из Катара, Афганистана и Объединенных Арабских Эмиратов, а также французский и британский спецназ. Но все они найдут себе могилу на свободной ливийской земле.

— А где сейчас находится Каддафи?

---

[1] Популярное на Ближнем Востоке блюдо, в состав которого входят нутовое пюре, оливковое масло, чеснок, сок лимона, паприка, сезамовая паста (тахини).

— По радио передали, что полковник увел самые верные части армии в город Сирт, к себе на родину. Но это совершенно не важно. Главное, что наш вождь сражается вместе со своим народом.

— Ну, конечно. Само собой...

— Ты еще что-то про Венесуэлу говорил,— напомнил ливийцу Проскурин.

— Да, потом был экономический комментарий на «Аль-Арабия». Оказывается, старый друг полковника Муаммарка Каддафи, венесуэльский президент Уго Чавес, отдал распоряжение вывести все оперативные валютные резервы из европейских и американских банков. Больше того, он потребовал возвращения в свою страну ста тонн золота, которые хранятся в Банке Англии. Специалисты говорят, что требование Венесуэлы вернуть золото способно вызвать потрясения на мировом золотом рынке, так как значительная его часть предоставлена банкирами во временное пользование инвестиционным фондам — в целях получения по нему дополнительной прибыли. Но эти фонды выпускают всего лишь «золотые» контракты, которые не могут быть моментально переведены в физическое золото. А еще президент Уго Чавес объявил всему миру, что принял решение о национализации разведки и добычи золота.

— Честно говоря,— признался Иванов,— я плохо разбираюсь в экономике.

— Друзья мои, вы даже не представляете себе, насколько предусмотрительно поступает президент Венесуэлы...— Ливиец отпил из стакана глоток минеральной воды и наконец-то принялся за свой хумус.

* * *

Почему именно капитану Хусейну поручили заниматься именно этим перебежчиком, стало понятно почти сразу.

— Посмотрите на фотографии. Вы кого-нибудь узнаете?

— Да, вот этого человека.

— Что вам известно о нем?

— Почти ничего. У него были разные документы прикрытия, но мы называли его Сулейман. Насколько я понимаю, он занимает какой-то большой пост в разведывательном бюро Вождя [1].

— Расскажите подробнее о задании, с которым этот человек прибыл в Хартум.

— Мне об этом почти ничего не известно. Мне было поручено только обеспечить Сулеймана автотранспортом. И предоставить ему свой канал на границе с Египтом — для беспрепятственного проезда туда и обратно. Кроме того, я снял конспиративную квартиру, на которой Сулейман проводил встречу с русскими.

— Вы принимали участие в этой встрече?

— Нет. Я только доставил Сулеймана по нужному адресу, а потом отвез его обратно в посольство.

— Вы видели человека, с которым он встречался?

— Да, видел. Но только из машины, с противоположной стороны улицы.

— Посмотрите.— Хусейн выложил на стол еще несколько снимков.— Это был кто-то из них?

---

[1] *Maktab Maaloumat al-Kaed* — секретная организация, созданная в 1993 году и выполняющая функции координации между ливийскими спецслужбами.

Перебежчик одну за другой перебрал фотографии российских паспортов, вглядываясь в изображенные на них лица:

— Нет. Я никого не узнаю.

— Ну, допустим...— Офицер суданской контрразведки собрал ксерокопии, снятые несколько дней назад иммиграционной службой аэропорта с документов Иванова, Карцева и Проскурина.— Продолжайте!

Неловкое движение заставило его поморщиться от боли — огромная ссадина на плече, полученная капитаном Али Мохаммедом Хусейном два дня назад при падении с бронетранспортера, постоянно напоминала о досадном недоразумении в пустыне.

К сожалению, его участники начали перестрелку еще до того, как разобрались в ситуации. Первыми, разумеется, открыли огонь разъяренные всадники из племенного ополчения — они были убеждены, что выследили грязных убийц и застали их прямо на месте преступления. Французы, на свою беду одетые как местные повстанцы, тоже в долгу не остались. А когда от прицельного выстрела из противотанкового гранатомета загорелся двигатель головного БТР-70, на котором находился капитан Хусейн, в бой с противником пришлось вступить и подразделению суданской армии...

В общем, к тому времени, когда все и всем стало понятно, «дружественный огонь», как его принято называть в США, уже унес жизни двух десятков кочевников, девяти суданцев и четырех бойцов французского спецназа. Еще больше участников столкновения было ранено, не говоря уже о подбитом бронетранспортере и нескольких внедорожниках, превратившихся в обгоревшие кучи металла.

Вспоминать об этом сейчас капитану хотелось меньше всего.

Перебежчик, однако, воспринял его болезненную гримасу на свой счет:

— Я сказал правду, клянусь Аллахом! Здесь нет того русского, с которым встречался Сулейман.

Скорее всего, сидевший напротив Хусейна человек не обманывал. Тем более что в этом не было для него никакого смысла. До недавнего времени он занимал в Хартуме должность резидента под крышей ливийского посольства и считался одним из самых преданных сторонников режима Муаммара Каддафи. Однако после известия о падении Триполи и многочисленных сообщений о том, как победившие повстанцы расправляются с бывшими сотрудниками политической полиции и спецслужб, он предпочел немного поступиться принципами и предложил свои услуги правительству Судана. В обмен на гарантии личной безопасности — в настоящий момент и на небольшое денежное пособие — в будущем перебежчик готов был рассказать очень многое о своей агентурной сети, передать новым хозяевам несколько химлов [1] шифрованной переписки и засекреченных документов, а также ответить на все вопросы, которые могут их заинтересовать.

— Что вам еще известно по поводу золотого запаса Каддафи?

— К сожалению, не так уж много,— виновато улыбнулся капитану недавний противник.— Опера-

---

[1] *Верблюжий вьюк* — мера веса, имевшая распространение в мусульманских странах. Определяет массу груза, которую способен нести на себе верблюд, и приблизительно равен 250 кг.

ция проводится сотрудниками центрального аппарата, и в нее посвящен только очень ограниченный круг лиц.

— В том числе, и этот ваш... Сулейман?

— Да. Насколько я понял, он отвечает за транспортировку из Ливии на территорию Судана крупной партии золота, принадлежавшего лично полковнику или кому-то из членов его семьи.

Эти сведения также вполне могли соответствовать действительности. По сообщениям из достоверных источников, например, сын ливийского лидера Сеиф аль-Ислам на протяжении нескольких лет клал себе в карман часть прибыли, которую приносило нефтяное месторождение Аль-Журф, разрабатываемое французской компанией Total. При помощи некой немецкой компании он регулярно откачивал добываемую нефть в оффшорную зону. А на вырученные от этого деньги позволял себе разные мелкие пустяки — вроде приглашения за гонорар в миллион долларов популярной певицы Мэрайи Кэрри, которая спела для него пару песен на скромном новогоднем торжестве, проходившем на острове Сен-Бартельми в Карибском море. Еще один, младший, сын Муаммара Каддафи получил в распоряжение доходы от франшизы концерна Coca-Cola, а все остальные дети и близкие родственники лидера Джамахирии имели свою долю не только в Национальной нефтяной компании, но и в ее дочерних предприятиях.

Еще в феврале, сразу после начала вооруженных выступлений оппозиции против Каддафи, все американские и большинство европейских банков приняли решение о немедленном блокировании счетов, принадлежащих лидеру Джамахирии, а также его близким родственникам. Сумма, о которой шла речь, измерялась миллиардами долларов, и ее потеря не могла пройти для Муаммара Каддафи безболезненно.

Особенно подвела ливийского лидера Швейцария, не забывшая и не простившая ему сделанного два года назад заявления о том, что страна эта «не имеет права на существование, как независимое государство», и что «следует разделить ее между соседними странами, включив кантоны в их состав по языковому признаку». Слова эти были произнесены сгоряча и по довольно случайному поводу. В одном из швейцарских отелей полиция тогда арестовала сына ливийского лидера Ганнибала Каддафи и его жену, которым были предъявлены обвинения в избиении прислуги. Триполи тут же отозвал из Берна своих дипломатов и произвел ответные аресты нескольких граждан Швейцарии. Затем были выведены в другие страны все средства, размещенные на ливийских счетах в швейцарских банках, и прекращено двухстороннее экономическое сотрудничество. В Швейцарию перестали поставлять ливийскую нефть, которая перекрывала почти треть национальных потребностей в энергоносителях...

В конце концов, служащие отеля отказались от заявлений в прокуратуру, получив крупную денежную компенсацию, и в отношениях между Ливией и Швейцарией все опять пошло своим чередом. Однако швейцарцы ничего не забыли и ничего не простили Муаммару Каддафи. А при первом же случае свели с ним счеты — и в переносном, и в самом прямом, банковском, смысле.

Разумеется, ни сам ливийский лидер, ни его ближайшее окружение не планировали провести остаток жизни в нищете, на иждивении какого-нибудь венесуэльского или северокорейского правительства. Значит, лишившись своих безналичных активов за рубежом, они вполне могли сделать ставку на драгоценный металл. Потому что, как справедливо заметил один европеец: «Нет такой вершины, на которую не мог бы взобраться нагруженный золотом осел».

— Куда должен был дальше проследовать груз? Кому он предназначался?

— Простите, но я не знаю...— покачал головой перебежчик.— Могу только предположить, что во всем этом как-то замешаны русские.

Капитан Хусейн опять поморщился:

— Когда с вами последний раз связывался Сулейман?

— Он звонил по мобильному телефону откуда-то из Египта. Точное место не называл, но распорядился, чтобы я был готов обеспечивать пропуск груза через границу в Судан.

— Что вы ему ответили?

— Я доложил, что мой человек на границе заступает на дежурство завтра с утра. Сулейман сказал, что это его устраивает.

— Номер машины? Марка? Цвет?

— Он сообщит мне их за час или за два часа до пересечения границы.

— Где это должно произойти?

Перебежчик назвал небольшой пограничный пункт к западу от «треугольника Халаиба»[1].

— Назовите имя и должность вашего человека. Как вы передаете ему указания?

---

[1] Спорный район на границе Египта и Судана.

Бывший ливийский разведчик ответил на эти вопросы сразу и без колебаний. Как профессионал, он не испытывал иллюзий по поводу того, как поведут себя суданцы, если у них возникнут хотя бы малейшие подозрения на его счет.

В сущности, повальное предательство среди чиновников Джамахирии началось сразу после того, как стало понятно, что на этот раз кресло под Муаммаром Каддафи шатается не на шутку. А после того, как политического убежища в Великобритании попросил всемогущий руководитель ливийских спецслужб Муса Куса, этот процесс принял необратимый характер.

Полковник Каддафи никогда особо не считался с мировым общественным мнением и нередко назначал на ключевые посты в своем государстве людей, обвиняемых европейцами в терроризме. Например, шефом его военной разведки был Абдалла Санусси, которого лет двенадцать назад во Франции заочно приговорили к пожизненной каторге за организацию взрыва на борту гражданского авиалайнера. Не говоря уже о самом человеке по имени Муса Куса, который долгое время возглавлял Антиимпериалистический центр, занимавшийся подготовкой и обучением боевиков. В качестве посла в Великобритании он был когда-то объявлен даже персоной нон грата — из-за публичной поддержки физического устранения ливийских диссидентов за рубежом и за контакты с ирландским террористическим подпольем. А за участие в так называемом «деле Локерби», которое привело к грандиозным скандалам как в ливийских, так и британских спецслужбах, его попытались объявить в международный розыск.

В марте восемьдесят шестого года авиация США нанесла бомбовый удар по Триполи, в результате чего погибла приёмная дочь Каддафи. Полковник ответил на это подготовкой и осуществлением взрыва американского пассажирского авиалайнера, который следовал из Лондона в Нью-Йорк и рухнул прямо посреди небольшого шотландского городка Локерби. В тот день погибло более двухсот пятидесяти пассажиров самолета и одиннадцать местных жителей.

Организатором террористического акта следствие объявило Мусу Куса.

Американцы и англичане более десяти лет добивались его осуждения, однако все, в конце концов, ограничилось выдачей британскому правосудию двух непосредственных исполнителей взрыва, одного из которых, в конце концов, оправдали присяжные. С Ливии взамен на огромную денежную компенсацию родственникам погибших были сняты международные санкции, а о преступлениях самого Мусы Куса предпочли на какое-то время забыть.

Тем более что после терактов одиннадцатого сентября Каддафи предложил американцам разведывательную информацию о попытках Аль-Кайды заполучить ядерную бомбу, а также огромную базу данных по тайным ячейкам этой организации на территории США и Великобритании. Именно Муса Куса начал осуществлять все контакты с ЦРУ и англичанами по этому вопросу, а несколько позже он стал и главным представителем Джамахирии на переговорах об уничтожении ливийских запасов оружия массового поражения...

К началу нынешних вооруженных выступлений оппозиции Муса Куса считался одним из самых доверенных лиц Муаммара Каддафи и занимал пост министра иностранных дел — осуществляя при этом координацию действий ливийских спецслужб. Поэтому его недавнее бегство в Великобританию нанесло по режиму Каддафи удар такой силы, что по сравнению с ним натовские бомбардировки могли считаться всего лишь досадными мелкими неприятностями.

Разумеется, англичане встретили перебежчика с распростертыми объятиями — как хранителя главных военных и политических секретов Джамахирии. Вместе с тем, вопрос о предоставлении ему статуса политического беженца все еще находился в стадии рассмотрения...

ГЛАВА 4

Намного проще и быстрее было вылететь из Хартума на военном вертолете. Но тогда пришлось бы докладывать обо всем непосредственному начальству, а это в планы капитана Хусейна пока не входило. Потому что, как справедливо замечено кем-то из мудрых,— у победы много отцов, и только поражение всегда остается сиротой...

Али Мохаммед Хусейн был достаточно молод, решителен, честолюбив. И на этот раз он не собирался упускать свой шанс, оставаясь на второстепенных ролях. Очередная звезда на погоны, какой-нибудь орден из рук самого президента, заметное повышение в должности... все это, разумеется, очень приятно.

Однако совсем не достаточно.

Капитан Хусейн не считал себя хуже других. Просто судьба до сегодняшнего момента еще не предоставляла ему счастливой возможности по-настоящему отличиться. И перехват ливийского золота должен был стать необходимой ступенькой к осуществлению его жизненных планов.

Когда-то сам нынешний президент Судана пришел к власти в результате военного переворота. А теперь ему пришла пора уступить место другим людям — энергичным и незапятнанным патриотам. Необходимо было как можно скорее покончить с разложением и коррупцией государственных органов, с провалами в экономике, с непоследовательной внешней политикой полковника Омара Хассан аль-Башира. Постоянное заигрывание президента то с американцами и израильтянами, то с радикальными исламистами, его безуспешные попытки лавировать между интересами Запада и арабского мира уже привели Хартум к поражению в гражданской войне и отделению юга страны, поставив ее на грань окончательного распада.

Именно так считал капитан внутренней безопасности Али Мохаммед Хусейн. И поэтому он, как и многие молодые офицеры суданской армии, несколько месяцев назад примкнул к заговорщикам.

Но теперь судьба подарила ему шанс стать не просто одним из единомышленников.

Подготовка любого государственного переворота, как и ведение войны, требует значительных финансовых вложений. Поэтому восемь с лишним тонн золота оказались бы для тайной оппозиции как нельзя кстати. А умелые, храбрые действия капитана Хусейна не могут не быть оценены по достоинству будущими руководителями нации — и непременно помогут самому капитану выдвинуться на первые роли в новом правительстве.

В более отдаленное будущее Али Мохаммед Хусейн пока себе заглядывать не позволял. Хотя постоянно держал в уме пример Муаммара Каддафи, египетского президента и еще нескольких выдающихся лидеров Африки и Ближнего Востока — выходцев из армейской среды, которые не упустили момент и навеки остались в истории. Не говоря уже о незаметном до поры до времени артиллерийском офицере по имени Наполеон Бонапарт...

Мысли о том, чтобы присвоить золото Ливии и обеспечить себе безбедное существование до конца своих дней, у Хусейна даже не возникало. Во-первых, капитан прекрасно отдавал себе отчет в том, что «конец дней» в этом случае наступит значительно раньше, чем он успеет получить удовольствие от обладания чужим богатством. Во-вторых, все люди, конечно же, смертны. Однако умереть можно очень по-разному — а на Востоке умеют лишать предателей жизни очень мучительно и изощренно. К тому же капитан Али Мохаммед Хусейн, поставивший сейчас на карту не только свою карьеру, но и саму жизнь, руководствовался исключительно патриотическими побуждениями.

— Сержант, можно ехать быстрее?

— Простите, господин капитан...

От Хартума до Бербера и городка Абу-Хамад автострада почти все время шла вдоль берега Нила и железнодорожного полотна, соединяющего столицу Судана с египетской границей. А дальше началась Нубийская пустыня, раскинувшаяся от Великой реки до хребта Этбай. Кое-где вдоль обочины на глаза попадались вади — пересохшие русла рек и случайные обнажения каменистых пород, затерявшиеся в серых песках, на которые годами не проливалось ни капли осадков.

— Сколько осталось до Вади-Хальфа?

— Примерно два часа, господин капитан.

Приграничный населенный пункт Вади-Хальфа был отстроен примерно в десяти километрах от второго Нильского порога взамен старого города с тем же названием, затопленного водами искусственного озера Насер. И хотя его население едва перевалило за пятнадцать тысяч человек, Вади-Хальфа является важнейшим для Судана транспортным узлом. Здесь находятся железнодорожная станция, паромная линия, связывающая город с египетским Асуаном, довольно приличная автодорога и даже небольшой аэродром с грунтовой взлётной полосой.

Нельзя сказать, что суданские пограничники и таможня совсем не уделяли внимания потокам грузов, следующим в страну из Египта. Однако значительно больше их, так же как и египетских коллег, интересовала контрабанда, переправляемая из Судана на север.

В основном это были наркотики и оружие. Например, не так давно в этих краях армия перехватила семь автомобилей, груженных оружием и боеприпасами, предназначавшихся палестинцам из сектора Газа — причем предварительно по каравану пришлось нанести ракетно-бомбовый удар с воздуха. Тогда погибло почти три десятка человек — в основном бедуинов, не признающих никаких границ и, по традиции, промышлявших нелегальной перевозкой любого товара, от чернокожих проституток до контейнеров с отработанным ядерным топливом.

Хотя, конечно, подобного рода проблемы носили для контрабандистов, скорее, случайный характер. Как правило, власти Судана старались не конфликтовать с шейхами бедуинов, которые контролировали этот племенной бизнес.

...Автомашина у Хусейна была очень мощная. И водитель у него был отличный. Но времени все равно оставалось в обрез:

— Сержант, прибавь еще немного!

— Я постараюсь, господин капитан...

Али Мохаммед Хусейн вполне мог бы сделать карьеру в суданских спецслужбах. Возможно, когда-нибудь он даже вошел бы в круг лиц, которые определяют судьбу страны. И портреты его красовались бы во всех учреждениях, а благодарный народ выносил бы их на демонстрации по поводу национальных праздников.

Однако всему этому так и не суждено было исполниться.

Крупнокалиберная пуля, выпущенная из французской винтовки «Hecate», вошла капитану в голову чуть пониже виска и на выходе разнесла половину затылочной кости.

Вторым выстрелом снайпер поразил водителя, и через несколько десятков метров автомашина, потерявшая управление, на большой скорости выкатилась за пределы дороги. Задев за какие-то камни, лежавшие возле обочины, она дважды перевернулась, упала на крышу и замерла в облаке оседающего песка.

Колеса машины еще продолжали вращаться, когда две человеческие фигуры покинули огневую позицию, оборудованную примерно в полумиле от дороги.

Специально подобранный камуфляж делал их такими же неотличимыми от окружающего пейзажа, как

неотличимы от него обитатели этих пустынь — ядовитые змеи, вараны и ящерицы. И повели они себя точно так же — осторожно, бесшумно и быстро.

Приблизившись через редкий, колючий кустарник к автомобилю, каждый сделал еще по одному выстрелу в безжизненные тела капитана и водителя. После чего старший в снайперской паре поправил микрофон переговорного устройства и вышел на связь с командиром подразделения, чтобы доложить о выполнении задачи.

* * *

Через иллюминатор капитанской каюты можно было разглядеть только ржавые крыши складских помещений, башенные краны и потрескавшийся асфальт на дороге, проложенной вдоль причала. Порт-Судан был основан чуть больше ста лет назад, как новая современная гавань, вместо древнего города Суакин, расположенного южнее, гавань которого заросла кораллами.

И, по-видимому, с колониальных времен здесь немногое изменилось.

Сегодня утром, поднимаясь по трапу на борт сухогруза, Михаил Анатольевич Иванов никак не мог избавиться от ощущения, что за ним наблюдают. Он почти физически чувствовал спиной чей-то взгляд, очень внимательный и недружелюбный — такой взгляд, каким обычно примеривается к живой мишени снайпер, прежде чем выстрелить на поражение. Сейчас это ощущение не то чтобы совершенно исчезло — оно просто несколько притупилось и спряталось в тень, на задворки сознания.

— Разрешите?

— Да, проходите, присаживайтесь.— Голос у капитана судна был приятный, негромкий, с едва заметным прибалтийским акцентом. Да и сам капитан Любертас, худощавый светловолосый литовец, неизменно производил на собеседников очень хорошее впечатление.— Вы знакомы?

— Оболенский. Сотрудник российского торгового представительства. Добрый день!

— Здравствуйте, очень приятно.— Михаил Анатольевич пожал протянутую руку.— Иванов.

— Кофе, чай? Или еще что-нибудь?

— Нет, спасибо. Я только что пообедал.

— Неужели пираты не тронули ваши запасы еды и напитков? — удивился Оболенский.

Капитан Любертас отрицательно покачал головой:

— Ну, это было бы совсем из области фантастики. Конечно же, за время стоянки они почти полностью опустошили продовольственную кладовую. Оставили только свиные консервы и некоторое количество питьевой воды. Но нам уже здесь, в порту, шипчандлер [1] доставил все, что необходимо.

— Тяжело пришлось?

— Мы ведь совсем недолго в заложниках оставались...— не сразу ответил на вопрос Оболенского капитан.— Если честно, страшнее всего было в самом начале. Только я открыл дверь машинного отделения, пираты тут же наставили на нас автоматы. Они

---

[1] *Шипчандлер* (от англ. *ship* — судно и *chandler* — мелкий торговец) — фирма, поставляющая судам продовольствие и осуществляющая их снабжение техническими средствами.

все разом что-то кричали по-арабски, щелкали затворами... Потом их командир, его все называли Асад, подошел ко мне и спросил, какие нации присутствуют на борту. Мы сначала не сказали им, что у нас в команде двое русских. Но потом они проверили документы, и все равно это выяснилось.

— И что произошло?

— Асад все-таки не позволил их тронуть. Хотя один из его людей очень рвался отомстить за какого-то из своих родственников, погибшего на «Московском комсомольце».

— Твою мать...— выругался сквозь зубы Иванов.

— После построения нас загнали в кают-компанию. Только второго механика и моториста оставили в машинном отделении, чтобы они могли поддерживать судно на ходу.

— Личные вещи, конечно, разграбили?

— Нет. Ничего, кроме мобильных телефонов, не отобрали. Ну, и деньги, конечно.

— Избивали?

— Нет. Но я думаю, нам просто повезло. Говорят, на украинской «Фаине» старпома отделали прикладами так, что он потом две недели отлеживался в каюте.

— Да, наверное, повезло,— вынужден был признать Оболенский.

— У сомалийцев, которые нас захватили, была очень строгая дисциплина. Своего командира Асада они боялись до судорог. Пираты ведь постоянно жевали кат, это вроде такого наркотика. Так вот, однажды один из них в совершенно невменяемом состоянии ворвался в кают-компанию, начал хохотать, кричать что-то, потом передернул затвор автомата.

Мы подумали — все, нам конец. Но, на счастье, поблизости оказался этот самый Асад, который вырвал автомат у придурка и так врезал ему по физиономии, что тот отлетел на три метра. Больше ничего подобного не повторялось.

— Охраняли вас очень строго?

— Да, очень строго. Даже когда сломался очиститель воды, то подходить к нему для ремонта разрешали только по двое, и не более.

— А чем вы вообще занимались в плену?

— Не знаю даже,— задумался капитан дальнего плавания Любертас.— Травили анекдоты, играли в карты, смотрели DVD. Потом кто-то из хлебных корок нарды смастерил...

— Значит, хотя бы хлеб вам пираты давали?

— Не только хлеб. Кормили два-три раза в сутки — в основном, правда, какой-то вонючей козлятиной и подливкой из сои. У них там свой повар был, вот и пришлось привыкать. Тем более что на всех был один-единственный гальюн.— Литовец тряхнул головой, отгоняя неприятные воспоминания: — Хорошо, что у меня в экипаже не было женщин.

И опять с ним нельзя было не согласиться.

— Скажите, как передавали выкуп? Обычно пиратам сбрасывают контейнер с деньгами...

— Не знаю. Нам не говорили. Просто Асад как-то утром вызвал меня на мостик, сообщил, что судовладелец решил все проблемы, и задал вопрос, сколько времени нужно, чтобы мы вышли в море.

— Повезло,— в очередной раз констатировал Иванов.

— Много народу из экипажа списалось на берег здесь после этой истории?

— Ни один человек не списался! — с гордостью, непонятной для сухопутного человека, ответил капитан.— Все пойдут дальше в рейс, по контракту. Судовладелец пообещал выплатить каждому члену команды по тысяче долларов премии, компенсацию за пропавшие деньги и ценности и, конечно, зарплату...

Неожиданно в чехле, прикрепленном на поясе Оболенского, зазвонил мобильный телефон.

— Прошу прощения...— Он достал трубку и поднес ее к уху.— Алло?

Его невидимый собеседник, очевидно, не был расположен к продолжительному разговору, потому что буквально через несколько секунд сотрудник торгового представительства попрощался с ним по-арабски и с сожалением посмотрел на капитана сухогруза:

— Извините, господин Любертас, но мне пора идти...

— Я провожу вас.

— Нет, что вы, не надо. До свидания! И семь футов под килем.

Обменявшись с хозяином каюты прощальным рукопожатием, Оболенский повернулся к Иванову и протянул ему ладонь:

— Всего хорошего. Приятно было познакомиться.

— Взаимно...

— Берегите себя. Желаю удачи!

— Ну, и вам того же.

Вот теперь, подумал Иванов, можно и расслабиться. Телефонный звонок Оболенскому означал, что контейнер благополучно погружен на борт теплохода.

— Скажите, капитан, у вас пиво есть в холодильнике?

— Найдется.

— Вот, наверное, от бутылочки пива я бы не отказался...

Деловая часть разговора отняла не так уж много времени — требовалось только уточнить, доставлена ли на борт колючая проволока и какие подсобные средства имеются теперь у экипажа. Выяснилось, что шипчандлер завез только три сигнальных ракетницы и один линемет, которые в руках профессионала вполне могли пригодиться для самозащиты.

— Как я понимаю, на этот раз вы пойдете в рейс без оружия?

— Да, к сожалению. Так получилось.

— Ничего страшного,— улыбнулся капитан.— Как говорится по-русски, снаряд два раза в одну воронку не попадает.

— Будем надеяться.

— Хотя, если бы вы тогда были у нас на борту...

— Все вопросы к судовладельцу,— пожал плечами Иванов.— Скупой платит дважды.

В сущности, к тому моменту, когда в дверь постучался второй помощник, они уже все обсудили, и Михаил Иванов со спокойной душой покинул капитанскую каюту.

...На судне подходила к концу погрузка хлопка. Грузовой люк был еще открыт, и стреловой кран опускал в трюм «Профессора Пименова» аккуратные кипы, обшитые тканью и перехваченные стальной лентой.

Иванов поднялся по металлическому трапу на крыло мостика и посмотрел вниз — туда, где несколько моряков под руководством боцмана проверяли крепление контейнеров, установленных на палубе. Контейнеров было не много, располагались они в один ряд, поэтому Иванов сразу и безошибочно узнал «свой» контейнер, стоявший у левого борта,— темно-коричневый, двадцатифутовый, с большой белой надписью Hyundai на боку.

— Привет.

— Привет,— поздоровался Иванов с молодым загорелым матросом, скучавшим на вахте.

— Закурить не будет?

— Не курю, земляк, извини. Но я могу к ребятам спуститься, у них точно есть.

— Да нет, не надо. Я сам лучше сбегаю.

На причал, в направлении проходной порта, выкатился пустой корейский грузовик со знакомыми номерами. Поравнявшись с «Профессором Пименовым», он немного сбавил ход, но потом опять увеличил скорость и окончательно исчез из поля зрения.

Вот и все,— подумал Иванов.— Удачи тебе, Сулейман...

Интернета на борту сухогруза не было, но телевизор во время стоянки принимал сразу несколько спутниковых каналов. Во время завтрака Михаил успел посмотреть выпуски новостей Си-Эн-Эн и Аль-Джазира на английском и убедился, что события в Ливии постепенно уходят из центра внимания мировых средств массовой информации.

Тем не менее по обеим программам прошли сюжеты, в которых представитель Переходного Национального Совета заявил, будто свергнутый лидер страны Муаммар Каддафи покинул власть не с пустыми руками. По словам выступавшего, захватившие власть повстанцы не досчитались примерно двадцати девяти тонн золота, общая стоимость которого превышает миллиард долларов. Представитель

Переходного Национального Совета заявил также, что драгоценный металл был тайно вывезен из хранилищ Центробанка сотрудниками ливийских спецслужб Каддафи в неизвестном направлении. Предположительно, отправка золота осуществлялась несколькими партиями через территорию Нигера и Туниса. В частности эта версия подтверждается показаниями задержанного в тунисском международном аэропорту «Карфаген» генерала Хуэлиди аль-Хамиди, который пытался покинуть страну. Генерал, входивший в число двенадцати членов Совета революционного командования Ливии, принимал деятельное участие в военном перевороте шестьдесят девятого года и являлся не только одним из самых близких соратников свергнутого диктатора, но и его сватом — дочь аль-Хамиди была замужем за одним из сыновей Каддафи.

Что же касается самого ливийского лидера, то поймать или убить его, судя по всему, пока так и не удалось. Как сообщил обозреватель Си-Эн-Эн, по просьбе Международного уголовного суда Интерпол уже внес Муаммара Каддафи, его сына Сейфа аль-Ислама и главу разведки Абдуллу ас-Сенусси в список наиболее разыскиваемых лиц, однако толку от этого было не много. Местонахождение Каддафи по-прежнему остается неизвестным, и есть основания полагать, что он до сих пор скрывается где-то на юге, в ливийской пустыне...

Судовая курилка была оборудована на юте[1], под белым металлическим козырьком, создававшим от-

---

[1] *Ют* — надстройка судна в кормовой его части, идущая до кормовой оконечности судна.

носительное подобие тени, однако не способным никого защитить от палящего африканского солнца. Палуба и переборка, возле которой стоял выкрашенный красной краской ящик с песком, были нагреты настолько, что случайное прикосновение к ним грозило весьма неприятными ощущениями. Для полноты картины над всем этим великолепием витал неповторимый и неистребимый аромат промасленной ветоши, водорослей и макарон по-флотски, которые два дня назад не доела команда.

— Нет, но самое смешное не в этом. Самое смешное в том, что супертанкеры в полном грузе никогда не проходили Суэцким каналом! Он для них мелковат. А контейнеровозы на несколько тысяч контейнеров, про которые ты говоришь, наоборот, никогда еще не шли в обход, минуя Суэцкий канал. По одной очень простой причине — они считаются самыми неуязвимыми для пиратов судами из-за огромных размеров и скорости, как у курьерского поезда. Чтобы их захватить, вертолеты нужны!

— Да ладно, ты скажешь...— Карцев затянулся и выпустил струю дыма, которая сразу почти неподвижно повисла в расплавленном воздухе.

Кроме него и Проскурина на корме, под навесом, оказался еще один человек — разговорчивый парень лет двадцати пяти в легкой летней тельняшке без рукавов и в парусиновых джинсах. При этом на ногах у него были высокие, явно казенного вида ботинки с рифленой подошвой:

— Так что все разговоры о том, что якобы из-за страшной угрозы пиратства многие судовладельцы вынуждены направлять суда в обход мыса Доброй Надежды и всей Африки и терять две недели на рейс в одну сторону — это полная хрень, извините за выражение...

— О, командир! — обрадовался Проскурин, который первым заметил подошедшего.— А мы тебя уже совсем потеряли...

— Я как почувствовал, что вы здесь.— Иванов шагнул под козырек и протянул руку: — Добрый день! Михаил.

— Здравствуйте! Сергей.

Окурки здесь полагалось выкидывать в так называемый обрез — нечто среднее между некрупным ведром и большой консервной банкой из-под фруктов. Именно так и поступил парень в летней тельняшке, прежде чем встать, вытянуться во весь рост и ответить на рукопожатие:

— Сергей Чесноков... Товарищ подполковник, вы меня не узнаете?

— Краснознаменный Черноморский флот? — пригляделся Иванов

— Так точно!

— Август две тысячи восьмого года?

— Так точно, товарищ подполковник! — расплылся в широкой улыбке моряк.

— Тихо ты, Сергей, тихо, тихо! Просто и спокойно — по имени, без должностей и званий...

Михаил Анатольевич приложил к губам палец, потом посмотрел на Проскурина и на Карцева:

— Рекомендую, парни. Наш человек. Он на «Цесаревиче» мне связь по ЗАС [1] обеспечивал.

— Да, было дело...

―――――――

[1] Засекреченная аппаратура связи.

«Цесаревичем», или «Сто пятьдесят восьмым», некоторые моряки называли между собой БДК (большой десантный корабль) «Цезарь Куников», который во время боевых действий против Грузии был флагманом российской группы в Черном море. В некоторых газетах прошла информация, что именно с него тринадцатого августа две тысячи восьмого года высадились морские диверсанты, которые вместе с десантниками в порту Поти потопили несколько грузинских военных катеров, уничтожили оснащение базы и радарные установки, с помощью которых противником проводился контроль акватории.

— Очень приятно!

Несмотря на то что Проскурин и Карцев уже успели не только познакомиться, но и немного поболтать с Сергеем, каждый из них еще раз пожал ему руку:

— Ты теперь кем здесь? Радистом? — поинтересовался Иванов.— Да садись ты, садись! Чего встал?

— Да нет, я тут просто матросом хожу,— ответил Сергей, опускаясь на место.— Радистов на современных торговых судах вообще мало осталось, вся связь на электронике и на автоматике. Сами знаете.

— Жаль. Ты же, насколько я помню, одним из лучших специалистов считался в бригаде?

— Спасибо, товарищ подпол... простите! — Похвала была явно приятна Сергею.— Поэтому меня ведь тогда за вашим подразделением и закрепили.

— Значит, все-таки море не бросил?

— Ну, куда же я денусь.

— И как, нравится?

— Вроде ничего. Платят прилично, и вообще, пока холостой...

— Слушай, я все спросить хотел,— вмешался Проскурин.— Ты чего так обулся? Не жарко тебе?

— Положено,— посмотрел Сергей на свои ноги.— Техника безопасности. Я ведь только перекурить отошел, пока наши там, на палубе, такелажем занимаются. А сейчас опять на кран полезу...

— Ну, давай, моряк,— не стал задерживать его Иванов.— Еще поболтаем, время будет.

Оставшись в курилке со своими людьми, Михаил Анатольевич оглядел их и поинтересовался:

— Что-то вы, товарищи пассажиры, расслабились.

— Командир, он тут начал рассказывать, как они у пиратов в плену...

— Это, Петрович, потом все, потом! А сейчас кто на вахте стоять должен? Как договорились?

— Моя вахта,— признался со вздохом Проскурин, посмотрев на часы.

— Ну, так, давай иди!

— На мостик все-таки решили? — уточнил за приятеля Алексей Карцев.— Или к трапу?

— Поднимайся наверх, Коля,— отдал распоряжение Иванов.— Там вроде и обзор лучше, и вообще... Вахтенный у трапа — лицо корабля! А в таком виде вас даже арабам показывать неприлично.

Действительно, после насыщенного событиями и не слишком комфортного путешествия по пустыне одежда на всех троих выглядела не самым лучшим образом.

— Командир, между прочим, все наши приличные вещи так в гостинице и остались,— напомнил Проскурин.— Переодеваться не во что.

— Ты же сам запретил за ними заезжать,— поддержал его Карцев.

— А у меня там туфли были новые. Носки, трусы, футболки...

— И мой костюм, я его купил совсем недавно. За большие деньги.

— Может, нам это компенсируют как-нибудь, командир?

— Вот, наглецы... Можно подумать, у вас теперь денег мало!

— Денег мы заработали,— вынужден был признать Николай.— Но все равно — обидно.

— Ладно, спишите на боевые потери...— Иванов согнал с лица улыбку: — Дежурим на время стоянки в порту — четыре через восемь, с подменой. В море посмотрим, как получится. Ходовую вахту, наверное, сделаем по восемь часов или по двенадцать. Но ты, Коля, сейчас побрейся хотя бы.

— Есть, товарищ подполковник!

Николай Проскурин по-военному четко приложил руку к воображаемому козырьку, выполнил поворот через плечо и направился строевым шагом в каюту.

* * *

Здание госпиталя в Хартуме было возведено по проекту архитекторов из Советского Союза и считается одной из городских достопримечательностей.

Впрочем, лежавший на кровати человек со стороны это монументальное строение еще не видел — его доставили в госпиталь без сознания, сразу же положили на операционный стол, двое суток держали в реанимации и только потом перевели в отдельную палату.

Палата считалась одной из самых лучших в госпитале. В свое время именно в ней оправлялся от перенесенных издевательств и пыток суданский гражданин, корреспондент «Аль-Джазиры» по имени Сами аль-Хадж.

Журналист, просидевший без суда в тюрьме Гуантанамо шесть лет, был единственным среди заключенных представителем мировых средств массовой информации, история которого вызвала широкий международный резонанс. Сами аль-Хаджа арестовали еще в две тысячи первом году на границе Афганистана и Пакистана по распоряжению американских военных властей на основании некой «закрытой информации». Никаких официальных обвинений суданцу не предъявили, рассмотрения своего дела американским правосудием он так и не дождался — зато за время нахождения в тюрьме похудел на восемнадцать килограммов, заработав серьезные заболевания печени, почек, сердца, а также расстройство психики...

— Вы меня слушаете?

— Да, конечно, господин полковник...

По телевизору канал «Евроньюс» передавал очередной выпуск экономических новостей. Основные биржевые индексы тряслись как в лихорадке, американский доллар понемногу скатывался вниз, зато цены на золото и серебро демонстрировали постоянный устойчивый рост. Лежащий на кровати человек приподнял руку с пультом и выключил звук:

— Прошу прощения, господин полковник.

— Как вы себя чувствуете, мой друг?

— Все нормально. Врачи обещают выставить меня отсюда через неделю. А может, и раньше.

Пулевое ранение в грудь командир подразделения Группы вмешательства французской жандармерии получил еще в самом начале боевого столкновения с бедуинами и суданцами. По счастливой случайности эта рана оказалось не слишком опасной, так что жизни его теперь ничто не угрожало.

— Да, все доктора говорят, что операция прошла успешно.

— В отличие от той операции, которая была поручена мне,— усмехнулся раненый.

Извлечение пули и наложение швов было действительно выполнено хартумскими хирургами своевременно и безупречно. А вот сам он с порученным делом не справился. Потерял в глупой стычке отборных спецназовцев, упустил это чертово ливийское золото...

— Не надо этого говорить! Даже думать об этом не следует,— покачал головой посетитель.— Ваши люди и вы сами честно выполнили свой долг. Все подразделение представлено к наградам.

— Меня следует вычеркнуть.

— Нет, не следует.— Военный атташе при французском посольстве на всякий случай обернулся и посмотрел на закрытые двери больничной палаты. Потом наклонился к раненому офицеру и продолжил: — Чтобы вам стало легче... Мы опять вышли на след грузовика с ливийским золотом.

— А русские? — спросил громким шепотом человек на кровати.

— Русские по-прежнему сопровождают груз.— Сильный запах бинтов и повязок, основательно пропитавшихся какой-то мазью, вынудил посетителя немного отодвинуться.

— Где они сейчас?

— По нашим сведениям, уже на территории Судана.— Полковник еще раз посмотрел на дверь, чтобы удостовериться в отсутствии посторонних ушей: — Как вы знаете, наша специальная аппаратура постоянно отслеживает телефонные переговоры местных операторов мобильной связи. Особенно все международные соединения. Так вот, вчера по роумингу с приграничной египетской территории был зафиксирован звонок в русский город Санкт-Петербург. В этом не было бы ничего удивительного, потому что туристы из России теперь попадаются всюду. Но потом с того же телефона позвонили в столицу Литовской республики, в Вильнюс, по номеру одной интересной конторы, которая занимается поставкой вооруженных наемников для охраны морских перевозок. Номер ее телефона уже имелся в нашей базе данных, поэтому аппаратура слежения моментально переключилась в активный режим. Почти одновременно из точки с теми же координатами, но с другого телефона с суданским абонентским номером были сделаны звонки в Хартум, в русское торговое представительство и в диспетчерскую службу морского порта. Содержание последнего разговора мы установили — человек, говоривший по-английски, поинтересовался, когда ожидается приход в Порт-Судан теплохода «Профессор Пименов».

Посетитель сделал небольшую паузу, чтобы продемонстрировать раненому схематическое изображение суданской территории с нанесенной на него красной линией:

— Современная техника позволяет отследить местонахождение любого мобильного телефона, даже если он не активен, но не отключен от элементов питания. Получается, что абоненты, которые нас интересуют, пересекли границу вот здесь, в этом месте, потом направились на юг по автостраде, вот здесь повернули к востоку и уже в конце дня, я думаю, доберутся до побережья.

— Мои люди должны перехватить их в пути? Или дать им добраться в Порт-Судан?

По глазам командира спецназа угадывалось, что он тут же начал просчитывать самые разные варианты выполнения боевой задачи. Жаль, конечно, но — нет, он не сможет руководить действиями подразделения лично. Придется назначить старшим кого-то из офицеров...

— Ваши люди больше не участвуют в этой операции.

— Господин полковник?

— Решение принято на самом верху. Перехват груза пришлось бы осуществлять прямо в городе под самым носом у местной полиции и военных. И нет никакой уверенности в том, что все обойдется без стрельбы и шума. А если нынешнее руководство Судана узнает, что мы проводим какие-то специальные акции без согласования с ними, оно непременно вмешается и наложит лапу на ливийское золото. Или устроят дипломатический скандал, который сейчас нам совсем не ко времени. Мы не имеем права рисковать.

— Значит, суданцы не знают, что груз уже находится у них на территории?

— Есть основания полагать, что у них такой информации пока нет,— немного подумав, ответил военный атташе.

Он не видел пока необходимости посвящать раненого офицера в детали. Устранение капитана Али Мохаммеда Хусейна, единственного человека, который мог помешать завершению операции французских спецслужб, было осуществлено снайперской парой, специально для этого переброшенной на территорию Судана с временной базы Иностранного легиона. А ливийский шпион-перебежчик, с которым работал Хусейн, по роковому стечению обстоятельств в тот же день покончил жизнь самоубийством — во всяком случае, его обнаружили с петлей на шее в подвале здания Управления внутренней безопасности.

— И что же дальше, господин полковник?

— Принято решение позволить русским беспрепятственно погрузить золото на сухогруз и выйти в открытое море. А там уже ими займутся боевые пловцы из команды «Юбер».

— Понимаю. И что теперь будут делать мои ребята?

Иметь дело с головорезами из легендарного отряда специального назначения Военно-морских сил Франции раненому офицеру за все годы службы еще ни разу не приходилось. Однако он был наслышан об этом элитном подразделении, созданном почти шестьдесят лет назад и получившем свое название в честь лейтенанта-разведчика Огюстена Юбера, который погиб во время высадки союзников в Нормандии.

Изначально боевые пловцы готовились к выполнению задач исключительно в интересах военно-морского флота. Однако, исходя из опыта многочисленных военных конфликтов, в которых вооруженные силы Франции принимали участие с сорок пятого года, специфические функции подводных диверсантов постепенно расширились до уровня задач, общих для всех подразделений спецназа. Поэтому вопросы боевого применения отряда «Юбер» находятся в ведении командования специальных операций вооруженных сил Франции. Оно же и определяет, какие из боевых операций следует предать гласности, а какие — сохранить в тайне. Например, командованием было решено рассекретить часть сведений об успешном освобождении заложников, захваченных сепаратистами в Новой Каледонии, о тайном вывозе ливанского генерала Ауна, скрывавшегося во французском посольстве в Бейруте, о захвате судна «Рэйнбоу Уорриор II», на котором активисты «Гринпис» попытались мешать возобновлению ядерных испытаний на атолле Муруроа. А вот об участии боевых пловцов в боевых действиях против Ирака и Югославской народной армии в открытой печати ничего не сообщалось...

— Ваши ребята сегодня вечером летят в район города Бени-Валид.

— Это где? — наморщил лоб спецназовец.

— Это в Ливии, неподалеку от Сирта и Сабхи. По сведениям разведки, там укрывается полковник Каддафи со своей личной гвардией.

— А по телевизору передавали, что полковник перебрался в Нигер...

— Нет, скорее всего, это очередная дезинформация. Повстанцы со всех сторон обложили места его вероятного нахождения, но сами совать туда нос не решаются — у диктатора сохранилось достаточно танков и артиллерийских систем. К тому же представители местных племен, многочисленные родственники клана Каддафи и остатки гвардейских подразделений, судя по всему, намерены воевать за полковника по-настоящему, до конца. Особенно после того, как стало известно, какие мерзости вытворяли отряды ливийского ополчения с теми солдатами, особенно чернокожими, которые сдались им в плен... Поэтому, например, вчера вечером гарнизон Бени-Валида обстрелял ракетами типа «Град» позиции повстанцев и отбросил их на несколько километров.

— В общем, ливийский народ своими силами никак не справится...

— Новые власти учредили специальное боевое подразделение, которому поручено поймать Каддафи. И мы опять им немного поможем,— улыбнулся посетитель.— Как при освобождении Триполи.

— Очень жаль, что от меня сейчас там было бы немного толка,— вздохнул спецназовец.— Передайте ребятам, что я им желаю удачи.

— Обязательно передам,— пообещал военный дипломат.

Он так и не решился сообщить лежащему на больничной койке человеку, что нынешней ночью в соседней палате Хартумского госпиталя скончался от осколочных ранений еще один боец его подразделения.

...Когда за посетителем закрылась дверь палаты, офицер опять нажал кнопку на пульте и включил звук. Передавали репортаж из хорватского города Загреб, в котором представители супруги свергнутого диктатора Муаммара Каддафи, по сообщениям журналистов, вели переговоры с местными властями о покупке туристического курорта. Сафия Каддафи, которая, как оказалось, является хорваткой-мусульманкой из Боснии, изъявила желание приобрести курортную зону возле города Игран в Южной Далмации. Как пояснил комментатор, до распада Югославии этот курорт принадлежал государственной риэлтерской компании, однако сейчас он находится в запущенном состоянии. И супруга Муаммара Каддафи, которая в настоящее время обосновалась в Алжире с тремя детьми полковника, готова вложить в его развитие весьма значительные денежные средства...

ГЛАВА 5

Обнаженный человек на допросе чувствует себя совершенно беспомощным и беззащитным.

Во всяком случае, до того момента, когда невыносимая физическая боль не вытеснит из его помутившегося сознания все остальные представления о реальности.

— Ну, что, пришел в себя, хадидж[1]? — неожиданно произнес хрипловатый мужской голос.

Увидеть того, кто задал этот вопрос, Сулейман не имел ни малейшей возможности — на его голову натянули довольно плотный черный полотняный мешок из какой-то синтетики. И так тоже было сделано специально — для того, чтобы воспаленное воображение человека, измученного неизвестностью, многократно усиливало страх и ужас.

Сулеймана пока ни разу не ударили.

Переломанное ребро, ссадина на ноге и сухая кровавая корка, покрывшая половину лица, были след-

---

[1] Недоносок (*арабск.*).

ствием его неудачной попытки уйти от преследователей.

— Ты меня слышишь, сын грязной свиньи?

Слежку за собой ливиец почувствовал сразу — как только покинул территорию порта. После первого же поворота в хвост его грузовику пристроился темно-синий «пикап» с неприметными номерами. А еще через несколько кварталов окончательно стало понятно, что выработанное годами профессиональное чувство опасности не подвело Сулеймана и на этот раз.

Ливиец несколько раз без особого повода то притормаживал, то прибавлял скорость, неожиданно резко сворачивал на какие-то улочки, а потом и вообще проскочил оживленный перекресток, выехав на полосу встречного движения. Люди в «пикапе» не отставали — наоборот, через какое-то время они вообще перестали скрываться и до предела сократили дистанцию между машинами. Этим следовало воспользоваться, и как можно быстрее. Выбрав подходящее место и подходящий момент, Сулейман изо всей силы придавил в пол педаль тормоза.

Через мгновение он почувствовал удар сзади.

Для грузовика «Hiunday», даже совершенно пустого, подобное столкновение, как правило, обходится без последствий. А вот легковой автомобиль неминуемо должен был получить повреждения, несовместимые с дальнейшей возможностью перемещаться в пространстве.

В этом Сулейман с удовлетворением убедился, трогаясь с места и глядя в зеркало заднего вида. Темно-синий «пикап» с развороченным радиатором и задравшейся крышкой капота стоял неподвижно, и из него уже начали выбираться трое или четверо мужчин характерной наружности. Разумеется, Сулейман не стал ждать, пока они подойдут. Набрав скорость, он покинул место дорожно-транспортного происшествия и почти сразу же повернул за угол какого-то каменного здания. Миновав еще несколько перекрестков, Сулейман аккуратно припарковался, выключил зажигание и покинул кабину.

Первый звук полицейской сирены донесся до слуха ливийца, когда он успел отойти от грузовика на приличное расстояние и практически затерялся в толпе местных жителей. Еще через какое-то время навстречу ему пронеслось сразу несколько автомашин — полицейских, военных и просто гражданских с мигающими колпачками на крыше.

Вряд ли подобные силы могли быть брошены на разбирательство обыкновенного ДТП...

В переулке напротив мечети ливиец, в конце концов, обнаружил то, что искал,— даже если по городу уже разослали его словесное описание, основное внимание в документах подобного рода уделяется одежде разыскиваемого человека. На нее, как правило, и ориентируется большинство полицейских. Поэтому в небольшой лавке, торговавшей всякой всячиной — от газированного лимонада до запасных частей к мотоциклу,— ливиец приобрел себе яркую кепку-бейсболку, мужскую рубаху навыпуск и кожаные сандалии, явно уже побывавшие в употреблении. Там же он купил сумку с логотипом всемирно известной компании, с ремешком через плечо, в которую, переодевшись прямо за занавеской, уложил свои старые вещи.

Пришлось, правда, потратить какое-то время на упорный, но вежливый торг по поводу каждой покупки в отдельности и всего приобретенного в целом — не столько из-за желания сэкономить, сколько для того, чтобы не запомниться хозяину лавки нарушением традиций.

Сулейман почти не знал Порт-Судан и ориентировался в нем недостаточно хорошо. Поэтому он потратил еще примерно час на то, чтобы добраться до нужного места.

— Может быть, ты по-арабски не понимаешь, вонючий хаволь [1]?

Ливийский разведчик-нелегал, на связь с которым Сулейман должен был выйти после выполнения задания, работал под «крышей» регионального представительства некой довольно известной компании, продвигавшей на местном рынке услуги в сфере бытового программного обеспечения и сетевых технологий.

Фактически он довольно долгое время, помимо сбора разведывательной информации, занимался поставками оборудования определенного рода по запросам ливийских спецслужб. И как раз эта сторона его деятельности вдруг оказалась приоритетной для властей Ливии, когда стало понятно, что на страну вполне может перекинуться пожар так называемой «арабской весны». При его активном участии, например, состоялись контакты Ливии с фирмой «Narus», производящей программы для мониторинга Интернета, и были закуплены самые современные сетевые фильтры, с помощью которых спецслужбы Муаммара Каддафи пытались контролировать Skype и YouTube, а также блокировать пользователям неже-

---

[1] Нецензурное арабское ругательство.

лательное подключение к прокси-серверам. Кроме того, через Порт-Судан в Ливию южноафриканская «VASTech SA Pty Ltd» поставляла средства для подслушивания и фиксирования всех международных телефонных звонков, а компания «Amesys» — систему под кодовым наименованием Eagle. По уверениям производителя, эта система способна фиксировать письма с Hotmail, Yahoo и Gmail, расшифровывать разговоры в чатах, а также вести базу данных по трафику в реальном времени, осуществлять поиск по ключевым словам, электронным адресам или названиям прикрепленных файлов. И это не считая того, что секретной политической полиции Каддафи удавалось перехватить в месяц до сорока миллионов минут телефонных разговоров своих сограждан внутри страны...

Сулеймана еще в разведшколе учили, что следует оглядеться и оценить обстановку, прежде чем выходить на конспиративный контакт. Это было хорошее, нужное правило. Однако в данном случае оно не сработало — скорее всего, помимо словесной ориентировки противник уже располагал фотографиями лица, находившегося в розыске, и предварительной информацией о возможных местах его появления.

Возможно, у тех, кто охотился на Сулеймана, просто-напросто не выдержали нервы. Или им по каким-то причинам было не слишком желательно светить офис фирмы, в которую он собирался зайти. Во всяком случае, задержание офицера ливийской спецслужбы начали проводить прямо на улице.

Двое крепких вооруженных мужчин выскочили наперерез Сулейману, как только тот поравнялся со старым такси, припаркованным у тротуара. Краем глаза он успел заметить еще двоих человек, подбегающих справа, и выхватил из-под просторной рубахи оружие.

Первый выстрел достался тому, кто был ближе,— будто с лету уткнувшись в прозрачную стену, мужчина застыл на мгновение и повалился назад. Сулейман выстрелил еще раз, в его напарника, но, кажется, только чуть-чуть зацепил и заставил присесть за машину.

Хорошо, что обойма «грача», который на прощание подарили ему русские ребята, вмещала в себя целых семнадцать патронов. Можно было не экономить, поэтому Сулейман повернулся направо и с расстояния в несколько метров, чтобы наверняка, поразил в грудь и в голову каждую из приближающихся фигур.

Таким образом, общий счет по итогам первого тайма оказался по меньшей мере три — ноль в пользу ливийской команды. Однако продолжать игру со смертью у Сулеймана не было никакого интереса. Поэтому он без сожаления оставил противнику поле боя и что было духу побежал вдоль по улице — мимо женщины в национальной одежде, успевшей прикрыть своим телом ребенка, мимо еще одной женщины, безуспешно пытавшейся закричать от испуга, мимо толстого бородатого старика...

Пуля выбила мелкие камешки из тротуара на том месте, куда через долю секунды должна была ступить нога ливийца. Сулейман обернулся и успел заметить вспышку второго выстрела, перед тем как следующая пуля содрала ему кусок кожи немного пониже колена. Тяжело раненный «пассажир» такси, судя по всему, получил приказ стрелять исключительно по ногам — опершись плечом о переднюю стойку машины, он как раз сейчас целился, намереваясь нажать на спусковой крючок в третий раз так, чтобы ни в коем случае не убить беглеца.

Это было профессионально и благородно, однако Сулейман не готов был ответить взаимностью. Опередив противника, он дважды выстрелил на поражение и довел общий счет встречи до четырех — ноль в свою пользу.

— Отвечай, свиная задница!

...Скорее всего, Сулейман и на этот раз оторвался бы от преследователей.

Но помешала случайность, которую многие здесь называют волей Аллаха. Перебегая на противоположную сторону улицы, чтобы затеряться в толпе, он на долю секунды отвлекся — и тут же почувствовал страшный, нечеловеческой силы удар. Водитель какого-то микроавтобуса, неожиданно выскочившего из-за поворота, не успел даже затормозить — Сулеймана подбросило высоко над землей, пистолет вылетел из его руки, а перед глазами мелькнуло испуганное лицо человека, сидящего за рулем.

Сулейману почудилось, будто все это уже происходило когда-то совсем в другом месте и при других обстоятельствах,— но в следующее мгновение ливиец лишился сознания, ударившись головой о сухой грязный потрескавшийся асфальт.

— Ты меня слышишь?

В помещении было на удивление холодно и отчетливо пахло плесенью — запах этот проникал даже под мешок, натянутый на голову Сулеймана. Его запястья были туго перехвачены за спиной американскими пластиковыми наручниками, но подобные штучки сейчас используются почти всеми спецслужбами мира.

— Воды...— пошевелил разбитыми губами Сулейман.— Пожалуйста, дайте воды...

Он никогда не боялся смерти — ни своей, ни чужой. Однако и умереть можно было по-разному.

* * *

Между собой оперативники называли кабинет резидента российской военной разведки «хранилищем» или «бункером». Здесь действительно можно было разговаривать, не опасаясь, что информация просочится наружу.

— Значит, вы полагаете, что в стране назревает военный переворот?

— Во всяком случае, подготовка к нему интенсивно ведется,— кивнул Оболенский.

— И кто же стоит во главе заговорщиков?

— Мои источники называют в этой связи руководителя службы национальной разведки и безопасности Мухаммеда Атта. Недавно он совершил поездку в Бенгази, встречался с лидерами Переходного национального совета. Официально сообщали, что он передал ливийскому правительству поздравления от президента Омара аль-Башира, но в действительности все намного сложнее. Атта опять попытался добиться от Ливии выдачи Халиля Ибрагима, который возглавляет суданских сепаратистов из «Движение за равенство и справедливость». Но опять получил отказ НАТО и новых ливийских властей, хотя очень рассчитывал на положительное решение. Тем более что, как вы знаете, в июне Атта тайно посещал Париж и по указанию президента вынужден был поделиться с французами некоторой разведывательной информацией.

— Не однозначная кандидатура,— задумался резидент.

— Мухаммед Атта и его сторонники в армии и спецслужбах лучше многих других понимают, что смена режима Каддафи и кардинальные изменения ситуации в Северной Африке чреваты последствиями для Судана. Они убеждены, что и лидер Джамахирии, и египетский президент просто-напросто поплатились за безоговорочное доверие обещаниям американцев и стран Евросоюза. Поэтому и здесь, в Судане, который поначалу безоговорочно поддерживал действия ливийской оппозиции, начинается некоторая переоценка происходящего у соседей. Многие военные из командования в Хартуме вполне допускают, что следующим режимом, на котором будет использована стандартная схема «цветных революций», окажется их собственный.— Оболенский говорил о вещах, в которых по-настоящему разбирался. Поэтому собеседник слушал его очень внимательно:

— Отсюда, на мой взгляд, и реакция Хартума на резолюцию ООН, которая продлила мандат своей миссии еще на шесть месяцев. Открыто против этой резолюции президент аль-Башир выступить не осмелился, однако ЮНАМИД[1] полностью отказали в дальнейшем использовании основного транспортного узла в

---

[1] *United Nations African Union Mission in Darfur* — совместная миротворческая миссия Африканского Союза и Организации Объединённых Наций, утверждённая специальной резолюцией Совета Безопасности ООН «с целью стабилизации ситуации в регионе Судана Дарфур». Насчитывает более 25 000 человек военного и полицейского персонала, имеющего право применять силу для защиты гражданских лиц и проведения гуманитарных операций.

Порт-Судане, хартумского аэродрома и помещения штаба ООН. Гуманитарные конвои ЮНАМИД задерживаются спецслужбами, сотрудников миссии арестовывают и высылают...

— А знаете, мне ведь вас будет по-настоящему не хватать.

— Простите?

— Завтра вы улетаете в Куала-Лумпур.

— Командировка?

— Называйте это как будет угодно.

— Надолго?

— Я думаю, навсегда.— У резидента российской военной разведки было своеобразное чувство юмора, но на этот раз он и не собирался шутить: — К сожалению, вы засветились во время последней поездки, и у местных властей появились вопросы не слишком приятного свойства. Поэтому руководством в Москве отдано распоряжение срочно эвакуировать вас из Судана.

— Меня отзывают?

— Вы что, Оболенский, не слушаете? Вас пока переводят в Малайзию.

— Что я буду там делать? — растерялся разведчик.— У меня же арабский язык, с диалектами...

— Вы должны будете проконтролировать окончание операции, в которой приняли участие.

— Значит, теплоход с нашим грузом следует в Куала-Лумпур? — сообразил Оболенский.

— Вам никак не откажешь в способности мыслить логически...— похвалил его резидент.— Подробные инструкции получите на месте. А пока скажу только, что сам знаю. Вы ведь даже не представляете, какой груз мы переправляем.

— Разве не золото из ливийского национального банка?

— Да, конечно же, золото. Но это не просто восемь тонн слитков. Это золотые монеты, отчеканенные полковником Каддафи. Так называемые исламские динары.

— Понятно...

— Позвольте полюбопытствовать, дорогой товарищ, что же именно вам вдруг стало понятно?

Оболенский достаточно много читал о проекте введения новой мировой валюты — золотого, или, как его еще называли, «исламского» динара.

Основной целью проекта была концентрация обеспеченного золотом капитала в мусульманском мире на основании принципа «золото в обмен на энергетические ресурсы». А сам проект, с религиозно-исторической точки зрения, непосредственно опирался на предписания, содержащиеся в Коране. В соответствии с ними динаром считалась монета из золота весом в двадцать четыре карата — то есть в четыре с четвертью грамма. Именно такие деньги следовало использовать правоверным мусульманам при совершении сделок, выплате очистительного налога и для сбережений.

«Исламский динар» моментально нашел миллионы приверженцев в мире — и не в последнюю очередь среди тех, кто пострадал от биржевых валютных спекулянтов, обваливших многие национальные валюты во время кризиса девяносто седьмого и девяносто восьмого годов. Кроме того, появлялась возможность создания альтернативы «пустому» американскому доллару США в виде денежной единицы, применимой в финансово-экономических отношениях всего исламского мира.

Дело в том, что и США, и Европа являются основными покупателями ближневосточной нефти, североафриканского газа и индонезийского олова. А сырьевые поставки из исламских стран напрямую привязаны к американской валюте, посредством которой и осуществляются экономические отношения между Востоком и Западом. Поэтому даже простое теоретическое обсуждение сроков и методов введения нового «золотого» эквивалента на очередной конференции Исламского банка развития вызвало настоящую панику в Вашингтоне, породив моментальный отток капиталов в размере, превысившем триллион долларов.

На текущий момент в проекте введения «золотого» динара участие в разной степени принимают Объединенные Арабские Эмираты, Саудовская Аравия, Кувейт, Катар, Бахрейн и Оман.

Малайзия, кроме того, применяет его при расчетах с Брунеем, Ираном, Бангладеш, Йеменом, Мальдивами и некоторыми другими мусульманскими странами. А вот попытки использовать золотой «исламский» динар в расчетах государств — членов ОПЕК[1] с американцами и европейцами неизменно наталкивались на активное противодействие со стороны Международного валютного фонда.

---

[1] *The Organization of the Petroleum Exporting Countries* (Организация стран — экспортеров нефти) — международная межправительственная организация, созданная нефтедобывающими странами в целях стабилизации цен на нефть. В состав ОПЕК входят Иран, Ирак, Кувейт, Саудовская Аравия, Венесуэла, Катар, Ливия, Объединённые Арабские Эмираты, Алжир, Нигерия, Эквадор и Ангола.

«Стоимость одного золотого динара — один золотой динар, независимо от его обменного курса к какой-либо валюте. Если стоимость товаров и услуг выражена в золотых динарах, она остается одной и той же, независимо от страны торгового партнера».

Воплощение этого принципа в жизнь при расчетах за нефть и за газ моментально лишило бы США инструмента воздействия на мировую экономику через доллар. Тем более что даже без этого стоимость золотого динара относительно американской валюты за последние восемь лет выросла почти в четыре раза.

— Полковник Каддафи планировал осенью этого года официально провозгласить переход Ливии к «золотому динару» при заключении всех внешнеэкономических сделок...— сообщил руководитель российской военной разведки в Хартуме, не дожидаясь ответа Оболенского:

— Вслед за ним то же самое собирались осуществить у себя президент Венесуэлы Уго Чавес и президент Ирана Махмуд Ахмадинежад. Представляете? Трое из двенадцати руководителей стран — экспортеров нефти, постоянных членов ОПЕК! Но они ведь только запустили бы процесс уничтожения американского «бумажного пузыря», а потом его было бы уже не остановить.

— Безусловно. За это полковника объявили врагом демократии...

— И поспешно организовали его устранение силами НАТО,— кивнул резидент.— В воспитательных, так сказать, целях. Чтобы другим неповадно было. Помните? Англичане простили Каддафи взрыв пассажирского самолета над своей территорией, американцы смотрели сквозь пальцы на тренировочные лагеря, где готовились террористы, итальянский премьер-министр с ним едва не взасос целовался...

— Были сведения, что и нынешний президент избирался во Франции на ливийские деньги.

— Тоже очень похоже на правду. Но как только коснулось святого, как только полковник Каддафи предпринял попытку серьезно затронуть основы финансового порядка, навязанного всему миру...

— Значит, собственные монеты он все же успел отчеканить?

— Успел.

— А теперь отправляет в Малайзию...— вновь задумался Оболенский.

— Я надеюсь, не следует дополнительно объяснять, что золотые динары ни при каких обстоятельствах не должны оказаться в чужих руках?

— Люди, которые их сопровождают, уже получили соответствующие указания.

— Вы уверены в этих людях?

— Да, товарищ полковник, уверен...

* * *

Михаил Анатольевич никогда не курил.

Однако судовая курилка, как правило,— это значительно больше, чем место, выделенное капитаном для обладателей дурной привычки с учетом требований пожарной безопасности на море. Это своего рода клуб, центр общественной жизни команды, идеальное место для воспоминаний, задушевных бесед и откровенных политических дискуссий.

Вот и сейчас на юте, под металлическим козырьком, несколько человек собралось, чтобы скоротать время до вахты и заодно разрешить наиболее острые мировые вопросы.

— А откуда такая уверенность, что никто его по-настоящему ловить не будет? — спросил у Иванова пожилой электромеханик-литовец, имени и отчества которого Михаил Анатольевич еще запомнить не успел.

— Потому что не нужно это никому. Вдруг полковник Каддафи не станет молчать про секретные отношения с американцами и с англичанами...

— А про вашу Россию ему, вы думаете, нечего рассказать? Я недавно в газете читал, что кое-кто из ваших самых-самых высоких политиков неплохо нагрелся на списании ливийских долгов. Русские ведь несколько лет назад простили Каддафи четыре с половиной миллиарда, которые он, по оценкам Всемирного банка, вполне мог заплатить при тогдашних ценах на нефть. Простили в обмен на контракты, которые были заключены с компаниями, очень близкими к этому самому высокому политику. Например, контракт с «Газпромом», контракт с Российскими железными дорогами, контракт с господином Дерипаской и с его «Русским алюминием»...— судовой электромеханик полез в карман рубашки и достал из пачки сигарету. — Вообще-то в наших литовских газетах писали даже, что семья Каддафи приобрела большой пакет акций концерна «Русский алюминий» и компании «Норильский никель». Так что если и вправду окажется, что у вашего руководства был сомнительный бизнес с Каддафи, это будет скандал перед выборами.

— Вполне возможно,— пожал плечами Иванов.

Ссориться с членами экипажа из-за политики он не собирался.

— Значит, ухлопают этого Каддафи как-нибудь по-тихому...— сделал вывод один из курящих, передавая электромеханику зажигалку.

— Или просто дадут тихо скрыться куда-нибудь.

— За его голову, между прочим, объявлена награда в два миллиона долларов,— сообщил, прикурив, электромеханик.

— И что с того? Вон, американцы за Бен-Ладена десять миллионов обещали.

— Ну, в конце концов, они его все-таки уничтожили.

— Да, но деньги никому выплачивать не стали,— напомнил моряк с зажигалкой.— Было даже, я помню, официально объявлено, что Бен-Ладена удалось обнаружить при помощи какой-то хитрой электроники. И поэтому, дескать, все деньги должны остаться правительству США.

— А как же американский спецназ?

— А та группа специального назначения,— вмешался опять в разговор Иванов,— которая непосредственно принимала участие в операции, странным образом вдруг разбилась на вертолете.

— Точно,— подтвердил кто-то со знанием дела.— По телевизору передавали.

— Чтобы денег им не платить? — удивился электромеханик.

— И чтобы не разболтали, как там все на самом-то деле произошло...

Сам собой, от политики разговор перешел к рыбной ловле.

Моряк, сидевший слева от Иванова, придерживался той точки зрения, что тунец лучше ловится на сардину или на сайру. Некоторые же из присутствующих полагали иначе.

— Не смеши! На кальмара он сразу берет. Или, скажем, на креветку.

— Смотря где. Вот мы в прошлом рейсе, к примеру, неподалеку от Чили...

Все, однако, ссылаясь на собственный опыт, сходились на том, что тунец — рыба теплолюбивая и болтается у поверхности. А потому и «дорожить» его надо вовсе без погружения, или с малым погружением насадки.

— У меня вот такая блесна есть.— Электромеханик раздвинул большой и указательный пальцы.— Меньше никак нельзя — если ход узлов шесть-семь, блесна плохо играет при выходе. Я в Тайване однажды искусственного осьминога купил. Коричневый был, силиконовый, будто живой. Утяжелил я его свинцом, двойной крючок поставил...

— Да не слушайте вы,— перебил сосед слева.— Все равно, тунец лучше на скумбрию ловится. Надо только вырезать из нижней части тушки полоску мяса, сантиметров тридцать...

— И поймаешь такую же шпротину! А я вот год назад на своего осьминога тунца зацепил, почти полтонны весом. Мы его шесть часов всей командой тянули, баграми.

— Где это было?

— Ну, там, возле Южной Америки...

— Тоже мне, удивил.

Кто-то начал художественно и со вкусом рассказывать, как ловил у кубинского побережья атлантического марлина, рыбу сильную, быструю и на редкость выносливую. Получилось у него не хуже, чем у Эрнеста Хемингуэя в повести «Старик и море» — только намного короче и с большим количеством ненормативной лексики.

Михаил Анатольевич вовремя сообразил, что его личные впечатления о том, как они с женой за собственные деньги ездили по туристической путевке ловить треску в Норвегии, вряд ли будут кому-нибудь в этой компании интересны.

Однако поддержать беседу с новыми знакомыми хотелось:

— А мы в Баренцевом море на гусей перелетных из пушки охотились...

— Это как? — удивился сосед.

— Зарядили картечью зенитку и врезали прямо по стае, как по низко летящей мишени. Потом две недели рассольником из свежего мяса объедались.

История, кажется, членам команды понравилась.

Потому что морская служба в основе своей, как утверждал капитан дальнего плавания Виктор Викторович Конецкий, однообразна и сера до посинения. И среди моряков очень ценятся люди, способные украсить ее какой-нибудь замысловатой байкой, пусть даже выдуманной или невероятной. Наверное, именно по этой причине флот подарил мировой литературе такое количество великолепных писателей.

— Вот, тоже, у меня был случай,— пожелал развить тему электромеханик.— Еще когда я срочную служил в Советской армии. При коммунистах...

Дослушать его Иванову не удалось, потому что внезапно ожившая судовая трансляция разнесла по всему теплоходу голос вахтенного помощника:

— Внимание, старшему группы сопровождения срочно подняться на мостик!

...Подполковник Иванов, прослуживший на флоте больше двадцати лет, всегда свято чтил морские традиции и ритуалы. Однако сейчас он забежал в рулевую рубку, даже не попросив разрешения войти. Впрочем, никто из собравшихся на мостике не обратил на это внимания.

— Что случилось, Петрович? Пираты?

— Да если бы,— озабоченно покачал головой Алексей.— Французский фрегат «Nivose».

— И чего им от нас надо?

— Требуют остановиться для досмотра.

Иванов повернулся к капитану судна, стоящему перед экраном локатора:

— У них что, есть такое право?

— Международные силы, мандат Евросоюза,— кивнул капитан.

— Раньше было такое?

— Честно говоря, не припоминаю.

Большие, с наклоном вперед окна рубки давали хороший обзор, однако в пределах видимости горизонт был чист. Поэтому Иванов задал следующий вопрос:

— Где они?

— Примерно в пятнадцати милях, вон, к северо-западу,— показал капитан светящуюся точку на экране.— Сокращают дистанцию.

— Что собираетесь делать?

— Придется подчиниться.

— Колю поднимать, командир? — на всякий случай уточнил Карцев.

— Всех, чувствую, придется поднимать.— Иванов посмотрел на капитана сухогруза.

— Объявляем судовую тревогу,— скомандовал Любертас вахтенному помощнику.

— По полной программе, как при нападении пиратов! — добавил Иванов. Оглядев быстрым взглядом контейнеры, выставленные на палубе, он на секунду задумался: — Сколько времени надо, чтобы привести носовой кран в рабочее положение?

— Ну, если по нормативам...— начал прикидывать капитан.

— Успеваем? — уточнил свой вопрос Иванов, показав на экран судовой РЛС[1].

— Не уверен.

— Как, Сергей? — Иванов обернулся к матросу, стоящему на руле.— Попытаемся?

— Можно попробовать,— прикинул бывший моряк Черноморского флота.

— Разумеется, с разрешения капитана.

— Смотря что вы собираетесь делать,— пожал плечами осторожный литовец...

— Сообщите, что мы готовы принять на борт их досмотровую группу.

...К тому моменту, когда стремительные очертания французского фрегата уже стали видны не вооруженным взглядом, на палубе теплохода «Профессор Пименов» уже кипела работа. На судовой кран было подано электропитание, и его стрелу, закрепленную по-походному, привели в рабочее положение. Проскурин, Карцев и еще один доброволец под руководством боцмана занимались отдачей креплений, которые удерживали контейнер Hiunday.

---

[1] Радиолокационная станция.

Контейнер стоял самым крайним по левому борту, во втором, верхнем, ярусе — и это несколько облегчало задачу, предоставляя им некоторое преимущество во времени.

— Давай, давай, вашу душу мать, шевелись! — Голос боцмана, не особо стеснявшегося в выражениях, проникал даже в рубку, перекрывая прерывистое завывание лебедки: — Куда без перчаток полез? Куда, мать твою перемать?

Худо-бедно, но с так называемыми «твистлоками» — запирающими элементами, с талрепами, тросовыми оттяжками и замками удавалось пока управляться без особых проблем.

— Ты хоть понимаешь, какого черта они делают? — спросил капитана по-литовски старпом, разбуженный и поднятый по судовой тревоге.

— Даже задумываться не хочу,— также на родном языке ответил капитан Любертас.— И тебе не советую.

— Ох, говорила мне бабушка: Йонас, никогда не связывайся с русскими...— Старпом озабоченно посмотрел вниз, на палубу.— Может, не стоило позволять им хозяйничать?

— Слушай, ты ведь не знаешь, что спрятано в этом чертовом контейнере? Не знаешь. И я не представляю. Может, у них там такое лежит, что для всех будет лучше, если этого у нас на борту не окажется.

— Но причем мы с тобой? Наше дело простое, мы моряки — что погрузили, то и перевозим...

— Это ты потом прокурору какому-нибудь американскому доказывать будешь. А он разбираться особо не станет — влепит всей команде тюремные сроки за контрабанду оружия или наркотиков. Как в Испании, в прошлом году...

— Да, права была моя старая мудрая бабушка...

— Что в журнале будем записывать? — послышался из-за переборки растерянный голос вахтенного помощника, приводившего в порядок судовые документы.

— Ни хрена пока записывать не будем,— немного подумав, распорядился капитан по-русски.

Опять ожил динамик радиостанции.

— Что они говорят? — не разобрал капитан Любертас.

— Требуют немедленно прекратить всяческое движение на палубе.

— Ответь, что на судне ведутся плановые аварийно-спасательные работы.

— Бред какой-то...

— Тогда придумай что-нибудь лучше,— пожал плечами капитан и подал на машинный телеграф команду «самый малый ход»...

...В кабине стрелового судового крана двоим мужчинам было тесновато.

— Ну, давай, братишка!

— Чего делать-то?

Страха или волнения в голосе Сергея не чувствовалось — только азарт и готовность как можно точнее выполнить приказание бывшего сослуживца по Черноморскому флоту.

— Поднимай эту штуку — и за борт!

— Сорвется, товарищ подполковник!

— Плевать, братишка! Давай, потихонечку...

Николай Проскурин успел зацепить один гак[1] в проушину корейского контейнера и теперь вместе с Карцевым всеми правдами и неправдами пытался отогнать подальше боцмана. Боцман не поддавался на уговоры, во весь матерный голос растолковывая ему, что по инструкции следует завести по местам и остальные концы металлического троса.

В конце концов, крыша контейнера была все-таки освобождена от людей, и Сергей почувствовал на своем плече руку Михаила Анатольевича:

— Поехали!

Почти одновременно с его словами из-за кормы французского фрегата, который дрейфовал теперь примерно в полумиле от сухогруза, выскочили две скоростные моторные лодки. Задрав над поверхностью моря форштевни, окрашенные в светло-серую краску, раскидывая за кормой высокие, пенистые буруны, они полным ходом помчались к «Профессору Пименову».

— Вира помалу,— скомандовал Иванов.

Металлический трос пошел вверх и примерно на метр или полтора приподнял зацепленный за проушину угол контейнера.

— Выноси!

— Рано, товарищ подполковник!

— Давай, родной, давай, не разговаривай!

Край контейнера пополз в направлении левого борта.

— Осторожно, Сергей, осторожненько...

Матросу почти удалось вынести стрелу крана за борт, когда днище контейнера окончательно потеря-

---

[1] Кованый металлический крюк.

ло опору и рухнуло вниз. Многотонный груз лихо врезался в палубу под углом, боковой стенкой снес кусок фальшборта и замял часть обшивки.

— Выноси дальше, за борт!

Сергей, очень медленно и очень аккуратно поворачивая стрелу, проволок злополучный контейнер еще немного — так, чтобы в какой-то момент он завис над водой на расстоянии вытянутой руки от борта судна.

— Майна со всего духу!

На поверхность Индийского океана контейнер обрушился с такой высоты, что от удара о воду металлический крюк сразу выскочил из отверстия.

— Получилось, мать его чтоб! — заорал во весь голос Сергей, выбирая освободившийся трос.— Получилось!

— Молодец, матрос! Молодчина, герой, черноморец!

Некоторое время прямоугольную крышу контейнера еще можно было разглядеть среди волн. Но к тому моменту, когда с местом его падения поравнялась корма теплохода, груз уже полностью скрылся под водой...

— Спускайте трап,— распорядился капитан.

Две моторные лодки с французскими боевыми пловцами, оказавшиеся в момент происшествия совсем рядом, у самого борта, поначалу метнулись по сторонам — как рыбешки от камня, запущенного на мелководье.

Но теперь они снова со всеми предосторожностями приближались к «Профессору Пименову».

— Парадный? — усмехнулся старпом.

— Ну, вот еще! Штормтрапа будет им вполне достаточно...— Капитан обернулся к вахтенному помощнику: — Точку взяли?

— Да, есть координаты.

— Глубина по эхолоту?

— Тысяча восемьсот девяносто.

— Что ж, вполне приличная глубина,— с удовлетворением кивнул капитан, переводя взгляд на стрелу судового крана, которая медленно возвращалась в походное положение...

ЭПИЛОГ

Пуля, пуля, дай мне волю — только сразу и без боли...

Сергей Шнуров

Совсем юная журналистка держала в руке диктофон и при этом пыталась записывать что-то в блокноте.

— Основной задачей экспедиции является документальное подтверждение гипотезы академика Иванова-Проскурина о происхождении подводных хребтов в Индийском океане. Согласно этой гипотезе, хребты образовались в результате раскола и дрейфа материковой платформы, основная часть которой находится в настоящее время на территории Российской Федерации. Таким образом, именно наша страна имеет исключительное право на разработку нефтеносных полей и добычу полезных ископаемых в этих водах.— Алексей Карцев поправил на переносице дорогие итальянские очки: — Надеюсь, я удовлетворил интерес ваших читателей?

— Да, конечно, большое спасибо, что уделили внимание. А то все отказываются от комментариев, отсылают в пресс-службу и вообще...— Журналистка закрыла блокнот, но почти сразу же спохватилась: — Как мне правильно указать вашу должность?

— Заместитель директора НИИ подводной уроло-
гии.

— Спасибо...

— Извините, но мне надо идти.

— Да, конечно, еще раз спасибо...— Девушка вслед
за Карцевым обернулась и посмотрела на двух мужчин, дожидавшихся окончания интервью.— А кто
это? С ними можно поговорить?

— Это старшие научные сотрудники нашего института,— ответил Алексей.— К сожалению, они очень
торопятся. Так что давайте в следующий раз? После
возвращения экспедиции в Сочи?

— Хорошо,— не стала спорить журналистка.—
Значит, вы обещаете?

— Непременно. Как только вернемся, я сделаю
вам такой эксклюзив...

Михаил Анатольевич встретил подошедшего Карцева укоризненным покачиванием головы:

— За что ты так бедную девочку?

— И не жалко ребенка, Петрович? — поддержал
его Оболенский.— Выгонят ведь из редакции.

— Или, еще того хуже, действительно материал
опубликуют.

— Да, ладно,— махнул рукой Алексей.— Все равно
они в газетах и по телевизору правду не говорят. Вон,
хотя бы взять наш пароход...

Он повернулся к причалу, где красовалось новень-
кое научно-исследовательское судно с именем всена-
родно любимого актера на борту. Судно было пред-
назначено для производства сейсмических и
геофизических работ и почти идеально подходило
для выполнения этой задачи в районах континен-
тального шельфа на севере. Во время торжественной

церемонии включения его в Реестр морских судов разные официальные лица красиво и много говорили о том, что оно является ярким примером научно-технического прорыва и будет способствовать очередным достижениям наших корабелов.

При этом, однако, никто из высоких гостей так и не упомянул о том, что построено судно на верфи в Дубае, принадлежит зарегистрированной там же компании «Polarcus Limited», а все оборудование на нем вплоть до чашек и вилок на камбузе исключительно иностранного производства.

— Ну, зато, хоть глубоководные аппараты у нас отечественные.

— И что с того? Я в него все равно не полезу. Тоже мне, гидронавта нашли...

Батискаф «Консул», который в спешном порядке и в обстановке секретности погрузили вчера на борт судна, действительно создали в Питере, на «Адмиралтейских верфях». С его помощью можно было проводить научно-исследовательские и аварийно-спасательные работы на глубине в шесть тысяч метров, устанавливать на подводные объекты маяки-ответчики, доставлять на грунт и поднимать на поверхность груз массой до двухсот килограммов. Кроме того, с помощью манипуляторного комплекса предполагалось осуществлять подготовительные работы для подъема со дна различных объектов средствами судна-носителя...

Вообще-то, глубоководные аппараты этого типа еще даже не были приняты на вооружение российского ВМФ и в порт прибыли прямо с государственных испытаний в Северной Атлантике.

— Слушайте, а чего с вами Коли Проскурина нет? — спросил Оболенский.

— Его жена не пустила. Не в деньгах, говорит, счастье. Сиди дома, ребенка воспитывай.

— Бывает,— Оболенский посмотрел на Иванова.

— А что, я ее понимаю,— встал Михаил Анатольевич на защиту чужого семейного счастья.— Это вам не из Омана до Кении прокатиться. Все-таки целых четыре месяца, даже если все будет по плану...

— Да когда у нас что-нибудь было по плану? — Алексей снял очки: — Пойдем, что ли? Выпить хочется, на дорожку.

— У меня в каюте бутылка водки стоит,— сообщил Оболенский.— Холодная.

— Одна? — поинтересовался на всякий случай Алексей.

— Для разгону,— уточнил Оболенский.

— Мне теперь не положено.— Михаил Анатольевич виновато опустил голову, словно двоечник в кабинете директора школы.

— Ах, ну да, ты же списан был в прошлый рейс с парохода за пьянство...

И все трое расхохотались так, что какая-то чайка испуганно снялась с камня и в большой панике начала махать крыльями над водой.

— Молодец капитан оказался! Придумал же...

— Ну, ты тоже красавчиком тогда выступил! Прямо из горла, винтом, без закуски литр виски в себя закачать...— отдал должное боевому товарищу Алексей.— А потом ты бы видел, как наш уважаемый Михаил Анатольевич прямо перед французами трап заблевал!

Досмотровой команде с фрегата, поднявшейся на мостик «Профессора Пименова», было очень доходчиво разъяснено, что во время движения судна обнаружилась некоторая слабина в креплении груза на палубе. Океан, как известно, подобной небрежности не прощает, поэтому команда получила распоряжение срочно все устранить. Однако напившийся перед вахтой до неприличного состояния русский моряк по фамилии Иванов сел за рычаги судового крана и с пьяных глаз перепутал, где лево, где право. И в результате совершенно случайно опрокинул за борт один из контейнеров.

— Представляете, господа? Вечно с этими русскими возникают проблемы...

— Хорошо хоть, что не придавил никого!

Разумеется, с нарушителя дисциплины будет удержана вся зарплата за рейс, но перевозчику в любом случае придется отвечать перед получателем груза. Да и со страховыми компаниями предстоит разбираться по поводу повреждений на судне...

Французам ничего не оставалось, кроме как поверить капитану. Или, точнее, сделать вид, что его рассказ принимается за чистую монету.

— Уговорили,— поморщившись, прервал воспоминания о собственных художествах Иванов.— Но только по сто пятьдесят, и не больше.

— Между прочим, есть один повод. Насчет Сулеймана...

— Живой?

О том, что ливийца схватила суданская контрразведка, Оболенский успел рассказать, когда встречал судно в Куала-Лумпуре.

— С ним все в порядке. Сулеймана неделю назад обменяли на парочку иностранных спецназовцев, которые попали в плен под Бени-Валидом во время осеннего наступления.

— Тогда чего же мы стоим? — обрадовался Алексей.

— Вперед! Святое дело — выпить...

Молоденькая журналистка за это время успела дойти до автобусной остановки.

Присев на скамеечку, она достала цифровой фотоаппарат и проверила сделанные у причала снимки. На большинстве из них были сняты трое прилично одетых мужчин, которые увлеченно беседовали между собой. Лица каждого получились достаточно крупно и четко.

Значит, если по пятьдесят евро за фотографию, получается...

Девушку совершенно не интересовало, зачем руководителю московского представительства журнала «Océanographie populaire», в котором она проходила стажировку, понадобились изображения именно этих людей. Просто ей пообещали прилично заплатить за работу и впоследствии, может быть, даже взять в штат редакции.

ОГЛАВЛЕНИЕ

Литературно-художественное издание

Никита Филатов

ЗОЛОТО КАДДАФИ

Ведущий редактор *В. Л. Пименова*
Художественный редактор *Ю. С. Межова*
Технический редактор *В. В. Беляева*
Верстка *О. К. Савельевой*
Корректор *В. Н. Леснова*

ООО «Астрель-СПб»
198096, Санкт-Петербург, ул. Кронштадтская, д. 11, лит. А
E-mail: mail@astrel.spb.ru

ООО «Издательство Астрель»
129085, г. Москва, пр-д Ольминского, 3

Издание осуществлено при техническом участии ООО «Издательство АСТ»

Типография ООО «Полиграфиздат»
144003, г. Электросталь, Московская область, ул. Тевосяна, д. 25

Николай Иванов

ЧЕЧЕНСКИЙ БУМЕРАНГ

Спецназ, который не вернется

На свою беду, они невольно соприкоснулись с тайной развязывания чеченской войны. И потому не должны были вернуться. За ними охотились как свои, так и чужие. По ним стреляли собственные вертушки и артиллерия, и чеченские снайперы. Они сотни раз должны были погибнуть, но, теряя товарищей, все же выбирались из ловушек, подстроенных продажными политиками.

Их предавали, но они оставались верны Отечеству.

ПОДВОДНЫЙ
СПЕЦНАЗ

**ПИРАТЫ
СОМАЛИ**

Устроить сомалийским пиратам кровавую бойню и освободить захваченный в заложники экипаж сухогруза — эта задача оказалась вполне по силам подразделению спецназа российского ВМФ, высадившегося с эсминца «Непобедимый»... Но вот что теперь делать с крупной партией боевой техники и вооружений, обнаруженной в трюме? И куда подевались все необходимые документы на этот опасный груз?

Борьба за власть в стране достигла апогея! Депутаты
не брезгуют ничем, ради своей выгоды они готовы затопить целый город...

И теперь только Влад Рокотов, скромный микробиолог
и крутой ас подводного спецназа, может этот город спасти!